Dem liebsten aller Männer

nun
sind die letzten
weg

nur
wir

nun
ist der letzte
weg

nur
ich

Ernst Jandl

Eins

Manche vergleichen das Alter mit einem Berg oder einem hohen Turm. Allein die schwindelerregende Besteigung ermögliche den lang ersehnten Weitblick. Blank und zugänglich liege schließlich, so behaupten sie, dein Leben vor dir, ausgebreitet wie eine sonnige Ebene, in der du nach Belieben umherspazieren und innehalten kannst, getrieben von der Sehnsucht nach dem Gestern und nach den geliebten Gefährten, die du auf der langen Reise verlassen hast oder verlieren mußtest. Eine selige Stimmung stelle sich dabei ein, weltentrückt und weltzugewandt zugleich, gepaart mit Weisheit, vor allem jedoch mit der inneren Gewißheit, den Weg alles Endlichen nicht umsonst gegangen zu sein.

Alles Quatsch! entgegne ich. Bloße Augenwischerei, ähnlich dem dümmlichen religiösen Getue, dem auch die letzten meines Jahrgangs unweigerlich zu verfallen scheinen. Zum Glück bin ich resistent dagegen geblieben, standhaft wie eh und je, Papas kleiner Soldat, wie er zu sagen pflegte, und ich habe nicht vor, dies zu ändern. Wem sollte ich auch noch etwas vormachen wollen, nach allem, was geschehen ist?

Wie die Liebe verändert auch der Tod alle Dinge. Wenn das Ende eines Lebens absehbar wird, bleibt nicht viel übrig, dem man noch Gewicht zumessen könnte. An schlechten Tagen – und es werden leider ständig mehr – erlebe ich das Alter als eine Art Schiffbruch. Müde fühle ich mich, ausgelaugt, bedauerlicherweise aber nicht erschöpft genug, um nicht noch immer in Rage darüber zu geraten, daß ich nie mehr jung sein werde. Schmerz meißelt die Zeit, sagt man. In Wirklichkeit wartet man

*lediglich darauf, daß die Gegenwart endlich aufhört. Und was
die Erinnerung betrifft: Wie sollte auch nur eine halbwegs ehr-
liche Annäherung an so etwas wie Wahrheit herauskommen,
wenn Geschichte, Erinnerung und Wunschvorstellungen ungehindert zusammenfließen?*

*Falls ein Bild jenen seltsamen Zustand beschreiben kann, in
dem sich jeder Betagte befindet, der die Lebensrevision anstellt,
dann ist es das Labyrinth, die unendliche Spirale: Wir entfernen uns von der Erkenntnis in dem Maße, indem wir wähnen,
uns ihr zu nähern. Und das ist sicherlich auch gut so. Der Zau-
berteppich des Daseins wird ohnehin im geheimen gewirkt. Niemand kennt die Abfolge der Toten und der Lebenden. Kein
Sterblicher weiß, wer als nächster mit dem Schmerz an der Reihe
sein wird. Oder mit der Angst.*

*Was mich betrifft, so hatte ich reichlich Gelegenheit, eigene Er-
fahrungen mit all dem zu sammeln. Mich kann nichts mehr
überraschen. Paradies und Höllenqualen, ein einziger Sommer
war genug, um mich in beidem bis zur Meisterschaft zu unter-
weisen.*

Und ein einziger Mann – Jean.

*»Du mußt dich mehr um die wirkliche Welt kümmern, Kleines«,
sagte er immer wieder. Niemand in der Familie rief ihn bei seinem Taufnamen. Seitdem Maman im Hause Bonhoff lebte, war
aus dem harten Wort Hans ganz selbstverständlich das weichere
Jean geworden. »Jetzt, wo alles für dich erst richtig losgeht. Ich
bin nur eine Chimäre, Rita, oder, wenn dir das besser gefällt,
eine Art Fossil aus einer längst versunkenen Epoche.« Seine
Stimme hatte eine Wärme, die mich noch sehnsuchtsvoller werden ließ. »Aber du, mein Mädchen, du bist von deinem Kopf bis
zu deinen hübschen, beeindruckend schmutzigen Füßen ganz
und gar lebendig!«*

*»›Die wirkliche Welt‹! Was soll das denn nun schon wieder
heißen?« lautete meine empörte Antwort. Weshalb sagte er nur*

ständig solche Dinge, die mich wütend und traurig zugleich machten? Ich haßte es, wenn er so daherredete, als sei ich nichts als ein dummes, unwissendes Gör. »Du mußt verrückt geworden sein! Ich kenne niemanden und nichts, was realer sein könnte.« Anstatt zu antworten, schüttelte er nur den Kopf und ging mit hängenden Schultern zurück ins Haus. Natürlich verstand ich Jean nicht. Wie sollte ich auch? Damals glaubte ich noch, die ganze Welt liege vor mir und ihm, wartend, bereit nur für uns. Ein Rausch, ein Glanz, ein Glück, das ewig währen würde. Aber es sollte ganz anders kommen – für ihn, für mich, für uns alle.

Er schien dazu bestimmt, meine Träume zu zerstören, und er tat es lächelnd, auf eine unübertroffen charmant-grausame Weise. Er war es, der mich zeichnen sollte, und bis zum heutigen Tag trägt meine Seele die Narben von seiner Hand.

Er allein zählte für mich. Alles andere war plötzlich ohne Bedeutung.

Ich sehnte mich danach, in seinen Armen zu vergehen und jede Scham, alle Konventionen, jegliche Bedenken hinter mir zu lassen wie flüchtige Schatten der Nacht. Ich liebte ihn so, wie man nur als ganz junger Mensch lieben kann, unschuldig, gelehrig, offen für jede Nuance von Wunder oder Wahnsinn. Hungrig nach seiner Berührung, dürstend nach seiner Nähe.

Jean befahl. Mit Blicken, Worten, Briefen. Ich gehorchte, nein, ich parierte. Alles hätte ich für ihn getan.

War das Tyrannei? Ausbeutung? Männlich-überlegene Tücke? Wenn ja, dann wohl die süßeste Tyrannei, die köstlichste Ausbeutung, die anbetungsvollste Tücke, die ich mir je hätte vorstellen können.

Allein mit ihm in einem Raum zu sein ließ alle Zellen meines Körpers vibrieren. Seine Hände waren fest und heiß, als würden sie von einer unsichtbaren inneren Sonne gespeist. Ich lebte nur für den Moment, in dem ich sie endlich auf meinem Körper spü-

11

ren würde. In diesem Punkt hat er mich nicht enttäuscht. Nie-
mals mehr ist mir richtig warm geworden, nachdem ich ihn für
immer verloren hatte, ihn, meinen einzig inniglich Geliebten.
Was bedeuten schon die vielen anderen, die ich ihm später nach-
folgen ließ, mutwillig, eigensinnig, ja sogar selbstzerstörerisch,
Männer und Frauen in bunter, wahlloser Aneinanderreihung,
um mich abwechselnd an dem einen Geschlecht für die Vergehen
des anderen zu rächen, als könne ich durch Quantität jemals
wettmachen, was ich an Qualität in einem einzigen Augenblick
wütender Eifersucht für alle Zeit verspielt hatte? Selbst die Bret-
ter, die mir einmal die Welt waren, der Glanz der Tourneen, die
vielen fremden Städte, das johlende, klatschende Publikum –
nichts als Beiwerk, vergänglich, vergessen, längst verblaßt.

✦

Ich schweife ab, wieder einmal, und beginne, mich vor mir selber
zu ekeln. Mein Bein tut plötzlich so weh, daß ich aufstehe und
ein paar Schritte versuche. Einen Augenblick lang habe ich mei-
ne gewohnte Vorsicht vergessen, und gleich muß ich für meine
Unachtsamkeit büßen. Der ovale Spiegel mit dem Goldrahmen,
der früher über Mamans Frisierkommode hing, wirft ungerührt
zurück, was ich am meisten verabscheue: den Anblick eines fal-
tigen, weinerlichen Weibes, das von einem Thema unversehens
ins andere verfällt.
Aber wen wundert es?
Mein Bett ist seit Jahren unberührt; die kurzen Schlafphasen,
die ich mir gönne, sind zu knapp für Laken und Daunen. Ich
döse auf dem Sofa, und kaum liege ich, dann suchen sie mich
schon heim, die geliebten, die verhaßten Gespenster. Unverän-
dert. Geradezu aufreizend jugendfrisch. Und so vollkommen!
Sie sind all das, was wir Lebenden niemals zu erreichen vermö-
gen. Ich habe trotzdem keine Angst vor ihnen, inzwischen nicht
einmal mehr Scheu. Ich erwarte sie, festlich gerüstet. In meinem

Zimmer brennen Kerzen, wenn die Dämmerung kommt, jene trügerische Stunde, in der wir Dinge sehen, die gar nicht da sind oder längst schon vergangen. Ich kann nicht sein ohne den Schein der Kerzen, nicht mehr, seitdem meine Liebe zu Jean zerbrochen ist wie eine Kristallkugel.

Das klingt beinahe tröstlich, aber es ist natürlich nur eine Seite der Medaille. Beinahe hätte ich den Verstand verloren, weil ich ständig an ein und dasselbe denken mußte. Mit der Lüge leben lernen, so sagt man landläufig. Aber in Wirklichkeit lebt man nicht mit ihr. Man lebt in ihr wie in einer tiefen, feuchten Höhle. Ich hatte mein Versprechen gebrochen, hatte ausgesprochen, was niemals hätte gesagt werden dürfen. Seitdem büße ich dafür. Und werde weiter dafür bezahlen bis zum allerletzten Atemzug.

Gott zählt die Tränen der Frauen, heißt es in der Kabbala. Sie weinen öfter, weil sie die Welt besser verstehen. Mein Gott freilich war schon lange abwesend, wenn er mir überhaupt jemals beigestanden hatte. Deshalb mußte ich über meine Feigheit und meinen Kleinmut weinen, bis ich keine Tränen mehr hatte. Umsonst. Vergebens. Denn am Boden meines Bewußtseins ruht bis zum heutigen Tag Schuld wie ein flacher Teich aus fauligem, dunklem Wasser.

Dabei liegt alles, was sich damals abgespielt hat, inzwischen mehr als sechzig Jahre zurück. Manchmal kommt es mir so vor, als wäre es niemals geschehen oder wenn doch, dann wenigstens ganz anderen Menschen zugestoßen, nicht mir, nicht Amelie und Jean und Riri. Nicht Claire, geborene Dubois, der schönen Maman, die aus dem Elsaß stammte und stets die stolze Französin herauskehrte, weil sie unter all den Boches nie richtig heimisch werden konnte, nicht Friedrich Bonhoff, meinem herrischen Vater, der an einem lauen Sommerabend unseren Bobo, der ihm schon im Ersten Weltkrieg als Bursche gedient hatte, aus einer spontanen Laune heraus im ganzen Haus die Kugel-

lampen abmontieren ließ, nur um mir, seinem Liebling, das Zu-
sammenspiel von Sonne, Mond und Sternen droben am fernen
Himmelszelt so realistisch wie möglich zu demonstrieren.

Keiner von ihnen ist mehr am Leben, und ich weiß, daß auch
meine Tage gezählt sind. Vielleicht atme ich überhaupt nur
noch, um mich zu erinnern. So verrückt es auch klingen mag:
Ausgerechnet ich bin das Gedächtnis einer ausgelöschten Fami-
lie – und ein lausiges dazu. Denn was uns damals widerfahren
ist, worin jeder auf ganz eigene Weise so unheilvoll verstrickt
war, wird mehr und mehr zum verschwommenen Bild. Das Le-
ben im Alter verstärkt diesen Traumzustand.

Was ist wahr? Was nur ersehnt, was phantasiert?

Immer schwerer fällt es mir, das eine vom anderen zu unterschei-
den. Dazu kommt, daß mir Geschichten aus Büchern immer
schon näher waren als die sogenannte Wirklichkeit. Bereits als
kleines Kind, kaum mehr als eine Handvoll Jahre alt, entdeckte
ich, daß Welt an Welt liegt und es nur auf das Zauberwort an-
kommt, um die verschlossenen Türen dazwischen zu öffnen.
Damals glaubte ich noch an Einhörner, Nixen und grünschil-
lernde Elfen, die sich von Tautropfen ernähren. Daß ich selber
eines Tages zur Todesfee für meinen Liebsten werden würde, hät-
te ich niemals für möglich gehalten.

Ob ich neugierig war?

Welch törichte Frage! Es gab wohl kein neugierigeres Wesen un-
ter der Sonne als mich.

Wenn ich es recht bedenke, so nahm womöglich darin alles Un-
heil seinen Anfang – in meiner unbändigen Wißbegierde und
natürlich vor allem in meiner unseligen Angewohnheit, mich
nächtelang zwischen vergilbten Seiten zu vergraben, wo ich
mich in Welten verlor, für die ich weder das Verständnis, ge-
schweige denn die Reife besaß.

Was wußte ich schon? Was hatte ich in meinem kurzen, behü-
teten Leben überhaupt gesehen?

14

Ich war so jung, so naiv, so unbedingt!

Und trotzdem war ich kein Kind mehr, das noch nach Großmamas unvergleichlichen Mehlspeisen gierte, als eine Kugel Jeans Schädel zerschmetterte. Und auch schon keines mehr, als er mich in die Scheune befahl und sich mit einem herrischen Nicken vergewisserte, daß ich nackt unter meinem Kleid war, wie er es in seinen hingeworfenen Zeilen gefordert hatte.

Ich schloß die Tür hinter mir, ein Moment, der mir so gegenwärtig ist, als wären nur Minuten vergangen und nicht Jahrzehnte. Drinnen war es dämmrig; Heuflusen tanzten in der aufgeheizten Luft. Der Körper als Erinnerungsgefäß. Gerüche und Düfte beschwören längst vergangene Empfindungen wieder herauf. Es roch nach frisch getrocknetem Gras. Nach Mann. Und nach unterdrückter Lust.

Ich schwitzte. Fühlte mich klebrig und erregt, war pure Unschuld und Femme fatale in einem. Begehren durchflutete mich, vermengt mit Verlegenheit und Angst, eine Mischung, dickflüssig wie heiße Lava.

Da bin ich, wollte ich sagen, in jenem frivolen Ton, den ich für unwiderstehlich hielt. Bobo hat sich hingelegt. Maman und Papa sind zusammen in die Stadt gefahren, und Riri ist mit Friedl beim Angeln unten am Weiher. Weit und breit also keiner, der uns stören könnte. Worauf wartest du noch, Jean? Jetzt kannst du endlich mit mir anstellen, was immer du magst.

Aber ihm so nah brachte ich keine Silbe heraus. Mein Herz hämmerte, und mir war, als stecke ein Klumpen Blei in meiner Kehle. Aus purer Verlegenheit begann ich zu lächeln, so breit und andauernd, daß mein Gesicht langsam ganz taub wurde. Ich konnte nur beten, daß irgendwann auch das kindische Rot auf meinen Wangen verschwinden würde.

Ihn schien es nicht zu stören. Ganz im Gegenteil. Er war schön, wie er da in seinem weißen Leinenanzug am Balken lehnte und mich ansah, ein strahlender, heller Held.

Dann machte er ein paar Schritte auf mich zu. Ich hatte Angst, ohnmächtig zu werden und wie ein Kleiderbündel zu seinen Füßen zusammenzusinken, aber ich hielt stand.

Für ihn war ich geboren. Für ihn allein.

Daran gab es keinen Zweifel. Jetzt erst recht nicht mehr. Denn schon in wenigen Augenblicken würde ich Jean ganz und für immer gehören.

Zwei

Er war fort. Sie hörte noch, wie das Taxi zügig anfuhr, das ihn zum Flughafen bringen sollte, damit er bloß nicht wie neulich die erste Maschine nach Berlin verpaßte und zu spät zu seinem Prozeß kam. Dann wurde es im Viertel wieder frühmorgendlich still. Sogar der sanfte Regen hatte ausgesetzt. Die Luft war noch immer feucht, roch schwach nach Flieder und frischem Grün, ein kleiner Vorgeschmack auf den Sommer, der nun hoffentlich beginnen würde. Wach, wie sie nun schon einmal war, hätte sie jetzt ebensogut aufstehen können, über den Dächern ein schmaler Streifen bonbonfarbener Himmel, ringsherum Antennengewirr und Schornsteinhälse, in der rostigen Regenrinne über der Terrasse wieder das dreiste Taubenpärchen, das sie mit seinem Dauergurren seit ein paar Wochen halb um den Verstand brachte. Aber sie tat es nicht.

Sina V. Teufel rollte sich auf die andere Seite des Bettes und drückte ihre Nase in das zerwühlte Laken. Ein unverwechselbarer Geruch entstieg ihm, eine Mischung aus frischem Schweiß, Männerhaut und dem biologischen Orangenshampoo, auf das er seit neuestem schwor, um sich mit der angeblich kahlen Stelle am Hinterkopf anzulegen, die niemand außer ihm bemerkte. Ihr Geliebter war alles andere als ein ordentlicher Schläfer. Nach jeder Nacht glichen Kissen und Daunendecke einem Schlachtfeld, als habe er in seinen Träumen fürchterliche Kämpfe durchzustehen. Laszlo lachte nur, wenn sie ihn danach ausfra-

17

gen wollte, legte den Kopf ein wenig schief und ließ damit jedes neugierige Weiterbohren unweigerlich im Sand verlaufen.

»Irgendwie hat jeder einen Anspruch auf ein Stückchen Privatleben. Du hältst es doch kein bißchen anders damit, mein Herz. Oder habe ich da etwas Entscheidendes übersehen?«

Verdammt, sie vermißte ihn schon jetzt!

Sie konnte sich nicht satt sehen daran, wie er sich bewegte oder manchmal mitten im Satz innehielt, die Stirn in Falten legte und plötzlich wie ein verschrobener italienischer Privatgelehrter aussah. Sie liebte seinen Körper, der mit ihrem so überraschend harmonierte, daß sie manchmal am liebsten tagelang im Bett mit ihm geblieben wäre, seine Geradlinigkeit und seinen Gerechtigkeitssinn, vor allem aber seinen ungewöhnlichen Humor, in dem oft Melancholie mitschwang. Das Erbe seiner jüdischen Großmutter Fiona, wie er immer wieder sagte, und Segen und Fluch zugleich.

Schwer vorstellbar jedenfalls, wie sie die endlosen Tage bis zum nächsten Wiedersehen durchstehen sollte. Natürlich waren jene legendären ersten drei Monate schon längst vorüber, in denen jedes noch so banale Wort wie Musik klingt, jedes Schellen an der Wohnungstür etwas Gutes verheißen kann und selbst ein naßkalter Schauer nur eine Untermalung der romantischen Gefühle bedeutet. Außerdem waren sie ja beide keine Kinder mehr und benutzten souverän die Errungenschaften modernster Kommunikationstechnik; dementsprechend hatten allerdings ihre Telefonrechnungen astronomische Höhen erklommen. Aber was war schon eine körperlose Stimme, was selbst das liebevollste Fax gegen das schier überwältigende Gefühl von Haut an nackter Haut?

18

Diesmal hatte es sie ohne Vorwarnung erwischt, und was das Schönste oder Schlimmste daran war, es wurde mit jedem Tag immer noch stärker. Sie war nicht krank vor Liebe, aber eindeutig infiziert, seiner Wärme, seinem klugen Kopf und seinen grünen Augen derart verfallen, daß sich die Menschen aus ihrer engeren Umgebung längst ihre Gedanken darüber machten.

»Wurde ja langsam auch Zeit«, knurrte ihre Sozia Hanne Bromberger mit hörbarer Befriedigung, weil endlich mal nicht ihre wechselhafte Beziehung zu Bill im Kreuzfeuer stand, sondern Sinas Liebesleben. »Nun wird ja Schluß sein mit deinem merkwürdigen Glauben an die Allmacht des Willens, beinahe, als könntest du ihn trainieren und steuern wie einen beliebigen Körpermuskel. Daß du allerdings gleich so übertreiben mußt, Sina! Und es dann obendrein auch noch ein Kerl aus Berlin sein muß …« Ein inbrünstiger Seufzer, als habe sie ohnehin mit nichts anderem gerechnet. »Aber in deinem Männergeschmack warst du ja schon seit jeher mehr als eigen, wenn ich das mal so sagen darf!«

»Grünglück des Herzens«, spottete ihr langjähriger Seelenfreund Carlo van Rees in Anlehnung an Hildegard von Bingen. Carlo hatte Laszlo Schreck nach anfänglichen, inzwischen jedoch verflogenen Eifersuchtsanfällen als Gefährten an Sinas Seite akzeptiert. »Gefährlich, meine Schöne, äußerst riskant, das prophezeie ich dir! Willst du wissen, wie es weitergeht? Dazu brauche ich nicht mal Therapeutenlatein, da genügt schon meine ganz normale Lebenserfahrung. Eines nicht mehr allzufernen Tages eröffnest du uns, daß du nun leider deine Zelte in seiner unmittelbaren Nähe aufschlagen mußt. Und wir, deine armen verlassenen Freunde, können zusehen, wo wir ohne dich bleiben.«

Carlo ahnte mit Sicherheit nicht, wie richtig er mit seiner Vermutung lag. Noch keine vierundzwanzig Stunden war es her, daß Laszlo ihr eben diesen Vorschlag unterbreitet hatte.

»Du hast dieses ständige Hin und Her doch mindestens so statt wie ich, oder?«

Sie lag in seinem Arm, entspannt und glücklich nach dem Liebesakt. »Klar«, murmelte sie gegen sein Ohr, »irgendwie sind wir beide schon aus dem Alter raus, wo es spannend sein kann, das Wochenende tapfer im Trägerhemdchen durchzustehen, nur weil man zufällig vergessen hat, sich vor dem Besuch beim Liebsten noch rasch den Pulli fürs kühle Wetter einzupacken.«

Sein Gesicht war ganz dunkel geworden. Was, wie sie inzwischen gelernt hatte, nichts Gutes verhieß.

»Sarkasmus steht dir nicht, Sina. Schließlich rede ich von unserer gemeinsamen Zukunft.«

»Soll das vielleicht eine Art Antrag werden?«

Er stand auf, und da es plötzlich nicht mehr warm war an ihrer Seite, merkte sie sofort, daß sie sich nun erst recht im Ton vergriffen hatte. Ärger stieg in ihr auf, scharf und siedend, über sich selber und die Rauhbeinigkeit, die sie sich in langen Jahren Geschlechterkampf mühsam antrainiert hatte. Ihre gewohnte Taktik, befürchteten Angriffen vorbeugend mit hitzigen Attacken ihrerseits zu begegnen, hatte schon am Anfang bei Laszlo nicht funktioniert, der sie durch seine Direktheit sprach- und damit wehrlos machte. Ihr Geliebter war keiner, mit dem sie spielen konnte. Wahrscheinlich liebte sie ihn gerade deshalb. Denn die üblichen Spielchen zwischen Mann und Frau hatte sie seit langem gründlich satt. Aber selbst nach diesem herrlichen, diesem verrückten Jahr mit ihm war Vertrauen für Sina noch immer keine Selbstverständlichkeit, und sogar an das Glück mußte man sich, wie sie inzwischen gemerkt hatte, erst nach und nach gewöhnen. Alles nicht ganz einfach zu verstehen: Wenn das Leben endlich mal wunderbar war, warum mußte es dann gleichzeitig so schrecklich kompliziert sein?

Am liebsten wäre sie Laszlo sofort in die Küche gefolgt, um sich an seinen sehnigen Körper zu schmiegen und das Gesicht an seiner Schulter zu vergraben, aber irgendwie brachte sie es nicht über sich. Er kam jedoch zurück, beugte sich über sie und packte ihre Handgelenke, als befürchte er, sie würde davonrennen.

»Ich hab auch Angst davor«, sagte er leise, »denk dir bloß nichts! Schließlich bin ich ein alter Hagestolz, der viel zu gern viel zu lang allein gelebt hat. Aber mit dir, Sina, könnte ich mir durchaus vorstellen, daß wir beide ...«

»Und ich erst, Laszlo«, sagte sie schnell, und während die erste Welle ungestümer Zärtlichkeit sie wärmte, küßte sie ihn, als könne sie mit ihren Lippen die Gedanken zurücknehmen, von denen er nichts zu wissen brauchte. Sein Gesicht berührte ihren Hals, als er sich langsam wieder löste. Sie konnte die Hitze spüren, die er in sich trug und die sie immer wieder aufs neue faszinierte. »Bitte entschuldige wegen eben! Du weißt doch: Manchmal ist meine Zunge einfach schneller als mein Kopf. Von meinem alten eingerosteten Herzen ganz zu schweigen.«

Sie lachten, fühlten sich wie Verbündete. Standen auf, duschten nacheinander, bereiteten bei bester Laune zusammen das Frühstück. Und tasteten sich bei Kaffee und Kräuterrührei gemeinsam an das Thema heran. Aber schon nach den ersten Sätzen tauchten Schwierigkeiten auf. Zwei ausgemachte Querköpfe mit spezieller Biographie, zwei komplett eingerichteten Wohnungen, zwei in langen Jahren gewachsenen Freundeskreisen, die unterschiedlicher kaum hätten sein können, zwei Kanzleien mit eigenem Mandantenstamm. Zwei vollkommen verschiedene Lebensräume – trotz beiderseitiger Verliebtheit. Wie konnte das einfach so zusammenwachsen?

Zumal das Wichtigste noch immer ungeklärt war. Sollte es nicht bei der Besuchssituation bleiben, mußte einer von ihnen den entscheidenden Schritt tun.

»Berlin ist einfach um vieles spannender«, behauptete Laszlo, während er den Toast sorgfältig röstete, und bewies damit ein weiteres Mal, daß er sich in heiklen Angelegenheiten gern auf sogenannte objektive Tatsachen berief. Das Wichtigste ließ er ungesagt. Fionas symbolisches Grab auf dem alten jüdischen Friedhof im Ostteil der Stadt, zu dem er immer ging, wenn er besonders schwierige Entscheidungen zu treffen hatte. »Diese Stadt ist eindeutig zu groß, um jemals richtig fertigzuwerden. Und gerade deshalb so lebendig. Das mußt du ohne Wenn und Aber zugeben!«

Sina schob den Teller beiseite und schielte unauffällig in Richtung Bauernschrank, wo sie ihre eisernen Zigarettenreserven deponiert hatte. Sie rauchte nicht mehr, schon seit ein paar Wochen nicht, und hatte das Ärgste inzwischen wohl überstanden. Körperlich zumindest. Psychisch dagegen war sie sehr viel weniger ausgeglichen. Es gab nächtliche Heißhungerattacken, die sie niemals zuvor gekannt hatte, krasse Stimmungsschwankungen, denen sie sich hilflos ausgeliefert fühlte, und ein schon beinahe absurdes Verlangen nach Nikotin, das sie zu den unpassendsten Zeiten und Anlässen überfiel. Manchmal war sie drauf und dran, den unerquicklichen Zustand einfach zu beenden, indem sie selbstverständlich wie bisher zur nächsten Zigarette griff. Wem wollte sie eigentlich mit ihrer Standhaftigkeit etwas beweisen? Laszlo? Den anderen, deren Lästern sie stets genervt hatte? Oder sich selber?

Schlimm genug, daß sie nicht einmal das genau sagen konnte.

»Tu ich doch«, erwiderte sie lächelnd. »Denk doch bloß nicht, daß ich allein deinetwegen immer wieder komme! Aber die Stadt ist auch riesig, abweisend und mancherorts geradezu angsteinflößend.«

»Ach, auf einmal das ›kalte Chicago‹ also, wie Brecht es genannt hat? Asphaltdschungel und so weiter?«

»Ganz genau. Und dabei hat er nicht einmal ahnen können, was heute alles dort abgeht. Euer neues Berlin Tag für Tag? Ich weiß nicht.«

»›Euer‹ Berlin, haste eben gesagt? Ick hab wohl janz plötzlich 'nen kleenen Mann im Ohr, wa? Sag nur, du fängst jetzt auf einmal an, dein Millionendorf zu verteidigen! Sonst bist du doch immer die erste, die die hiesige Provinzialität munter geißelt.«

»Mir steht das auch zu, aber keinem neunmalklugen Piefke, daß das schon mal klar ist! Und außerdem: Leben kann man hier doch wirklich prima. Hast du selber immer wieder betont.«

»Klar kann man. Aber willst du auf Dauer tatsächlich im Alpendunstkreis versauern, während in unserer nagelneuen Hauptstadt jetzt so richtig die Post abgeht? Das kann einfach nicht dein Ernst sein, Sina!«

Sie kamen nicht weiter, und irgendwie legte sich über ihren letzten gemeinsamen Tag ein Hauch von Bitterkeit. Sina wünschte sich insgeheim, sie hätten das komplizierte Thema gar nicht erst angeschnitten – noch nicht, jedenfalls –, und sie war beinahe sicher, daß Laszlo inzwischen ähnlich empfand. Aber nun war es zu spät. Keines der einmal gesagten Worte ließ sich wieder ungesprochen machen. Sie liebten sich heftig in dieser Nacht, wortlos, schnell und leidenschaftlich, als wollten ihre Körper das wieder wettmachen, was die Gespräche nicht vermocht hatten, und blieben dann lange stumm nebeneinander liegen, bis der Schlaf endlich kommen wollte.

Ein sanftes Plop auf dem Bett. Dieses seidenweiche Problem gab es schließlich auch noch! Taifun, wie sie ihn damals spontan genannt hatte, als der Bauer den fauchenden Winzling aus dem Silo gefischt hatte, bedeutete großer Wind, und den konnte ihr schwarzer Kater sehr wohl entfachen. Beim letzten Umzug hatte er sich wochenlang im Schrank versteckt, bis er endlich geneigt gewesen war, gnädigst mit der Inspektion des neuen Zuhauses zu beginnen. Nur ein Tier? So ein Unsinn konnte nur von Katzenignoranten stammen, die keine Ahnung vom Zusammenleben mit dieser speziellen Spezies hatten. Inzwischen gehörte Taifun so untrennbar zu ihr wie bestimmte Eigenheiten, die sie sich von keinem Menschen nehmen ließ – nicht einmal von Laszlo.

Sina streichelte des Katers knisterndes Fell, und er ließ es sich ekstatisch schnurrend nicht nehmen, seinen angestammten Platz in ihrer Armbeuge aufzusuchen, nachdem der menschliche Konkurrent um ihre Gunst endlich das Feld geräumt hatte. Sie schob ihn schließlich ein Stück zur Seite, streckte und dehnte sich und spürte, wie erschöpft sie war.

Es war nicht allein der gestrige Unfrieden und auch nicht die kurze Nacht, die ihr in den Gliedern steckten, es war vor allen Dingen das, was heute als erstes auf ihrem Programm stand. Dr. Sina V. Teufel haßte alles, was mit Begräbnissen zusammenhing. Besonders bei strahlendem Wetter. Und erst recht, wenn es um Menschen ging, an denen sie gehangen hatte.

Stell dich nicht so an! schalt sie sich selber, als sie endlich aus dem Bett fand, und sie ging hinüber ins Bad, wo sie eine heiße, ausgiebige Dusche genoß, um erst anschließend ihren Schwarzen zu füttern, der diese Zurücksetzung seiner Interessen bereits maunzend monierte. Schließlich ist es nur eine Urnenbeisetzung. Der Tod gehört zum Leben. Es sind nur wir Menschen, die ihn mit komischen Tabus belegen, weil wir schon lange verlernt haben, richtig mit ihm umzugehen. Außerdem bist du es deinem alten Mandanten Ottfried Fürst schuldig. Wo du doch schon bei der Trauerfeier vor ein paar Wochen wegen auswärtiger Berufsverpflichtungen passen mußtest. Oder willst du ihn etwa schutzlos seinem ungeratenen Sprößling ausliefern?

Der Badezimmerspiegel, vor den sie zum Schminken zurückkehrte, war noch immer leicht beschlagen und warf ihr Bild verschwommen zurück. Die zusätzlichen Pfunde, seitdem sie nicht mehr rauchte, ließen ihr Gesicht weicher und jünger aussehen. Also keine streunende neapolitanische Kanalkatze mehr, wie Carlo früher immer behauptet hatte, sondern eine, die bei allem Freiheitssinn nun wußte, zu wem sie gehörte. Sogar mit der markanten Nase war sie inzwischen ausgesöhnt. Die schwarzen Haare umschmeichelten das Kinn, waren frech geschnitten und ·fielen lockig. Was ihr allerdings weniger gefiel, war der müde Teint, dem eine gute Dosis dolce far niente nichts geschadet hätte, und selbst die tiefbraunen Mandelaugen hatten schon mal intensiver gefunkelt. Allerhöchste Zeit also, sich endlich intensiv mit der längst anstehenden Urlaubsplanung auseinanderzusetzen, auf die Laszlo schon seit längerem drängte, die sie jedoch bisher immer wieder aufgeschoben hatte. Sina, die sich einfach nicht von ihrem Schreibtisch und den Akten trennen konnte – ein gefährliches Terrain, wie sie aus Erfahrung wußte. Wenn sie nicht aufpaßte, würde sie womöglich wieder in das Fahrwasser gelangen, das sich bei früheren Beziehungen als trübe und unerfreulich erwiesen hatte. Aber dieses Mal war sie entschlossen, es nicht soweit kommen zu lassen. Dazu stand zuviel auf dem Spiel.

Wie immer flüchtig abgetrocknet und eingecremt, braute sie sich die üblichen zwei Tassen Milchkaffee, die sie beim Überfliegen der Zeitung genüßlich trank, und las sich dabei an einem Artikel über einen alten Barpianisten fest, der das Leben sehr scharfsinnig mit einem Piano und all seinen schwarzen und weißen Tasten verglich. Irgendwann ließ sie das Schlagen der nahen Kirchturmuhr aufschrecken.

Sie mußte nicht lange auswählen. Das schiefergraue Leinenkleid war so ziemlich das einzige Stück aus ihrer sommerlichen Garderobe, das ihr passend für solche Anlässe erschien. Wenigstens war es inzwischen warm genug, um endlich auf die lästigen Strumpfhosen verzichten zu können. Sie griff nach Blazer, Aktentasche und den eleganten weinroten, noch nicht ganz eingelaufenen Pumps, die ihr Laszlo erst vor ein paar Wochen aus Verona mitgebracht hatte. Lange würden sie ohnehin nicht an ihren Füßen bleiben. Sina liebte es, barfuß Auto zu fahren, seit jeher. Gashebel und Kupplung unmittelbar unter den nackten Sohlen zu spüren, hatte sie schon in ihrer ersten uralten Ente entzückt, der man immer gut zureden mußte, damit sie sich überhaupt bewegte. Damals wie heute gaben ihr die bloßen Füße ein Gefühl der Freiheit, wenn auch irrational, was sie genau wußte, aber dennoch prickelnd. Für halbwegs seriöses Schuhwerk war dann jeweils am Ziel noch immer Zeit genug. Meistens jedenfalls.

Wenn sie jetzt allerdings nicht wirklich schnell machte,

würde sie tatsächlich zu spät kommen. Was »Fürst Ottl«, wie seine zahlreichen Freunde und Bewunderer den berühmten Kammersänger seit Jahrzehnten liebevoll nannten, nicht verdient hatte.

Und seine verstorbene Lotte erst recht nicht.

Drei

Das Familiengrab der Fürsts lag im Waldfriedhof, der ausgedehnten Begräbnisstätte im Westen Münchens. Sina hatte sich für die gängige Route über die Fürstenriederstraße entschieden, was sich allerdings bald als Fehler herausstellte. An diesem milden Montagmorgen schien die halbe Stadt unterwegs zu sein; nur noch Schrittempo, sonst ging gar nichts mehr. Eingeklemmt im Berufsverkehr, umringt von mißmutigen Gesichtern, die offenbar nicht einmal der strahlende Sonnenschein aufzuheitern vermochte, tat es ihr beinahe leid, daß sie den alten Kammersänger nicht doch dazu ermutigt hatte, eine Grabstelle auf dem kleinen, exklusiven Bogenhausener Friedhof zu beanspruchen. Lotte Fürst hätte sicherlich ihren Spaß daran gehabt, zwischen berühmten Dichtern, Musikern und Schauspielern zu liegen, von denen so mancher zu Lebzeiten so erfrischend renitent gewesen war wie sie.

Eine Gabe, die ihrem Ottl seit jeher gefehlt hatte.

Sie war die treibende Kraft in dieser Ehe gewesen, eine intelligente, mutige Frau, die die eigene Karriere als Schauspielerin hintangestellt hatte, um in den Nachkriegsjahren beherzt die des jungen, vielversprechenden Bassisten in ihre Hände zu nehmen und über Jahrzehnte zu betreuen. Flexibel, nüchtern und realitätsnah, wie sie war, besaß sie wenig Geduld mit Menschen, die sich bemitleideten, mit der Gegenwart haderten oder gar ihre Vergangenheit vergoldeten. Hinter ihrer äußerlich so ebenmäßigen Fassade, die viele zur Bewunderung hinriß, verbarg sich ein eigenwilliger Geist, der nichts von Konventionen hielt, was in manchen Gesten unwillkürlich zum Ausdruck kam: einem Schulterzucken, wenn sie sich langweilte, was schnell der Fall sein konnte, einem Augenrollen oder verächtlichen Blick, wenn sie etwas mitanhören mußte, was ihr mißfiel. Nicht einmal die zunehmende Erblindung hatte lange Zeit ihr Interesse an der Musik, ihre Klugheit in künstlerischen Entscheidungen beeinträchtigen können.

»Immer nur gucken ist doch wirklich auch nicht alles«, sagte sie einmal zu Sina, als sie kaum noch ohne fremde Hilfe zurechtkommen konnte, weil das unheilbare Rheuma inzwischen jede Bewegung zur Qual machte. »Glauben Sie mir, Frau Teufel, wie sich die Leute auf ihre Augen konzentrieren, ist in Wirklichkeit beinahe so etwas wie eine Behinderung, verstehen Sie?«

Sina nickte und versuchte, sie sich als junge Frau vorzustellen. Lotte Fürst war selbst im Alter noch immer schön, mit silbernem Haar und blasser, reiner Haut, einem Fächer feiner Fältchen um die fast nutzlos gewordenen Augen, der wie zarte Narben vom Lachen und Weinen aussah, einem vollen, großzügig geschwungenen Mund, der nichts Verbittertes oder Verkniffenes hatte. Nur ihre schmale, beinahe aristokratisch anmutende Nase war aufgeschürft, weil sie nachts nicht zum erstenmal aus dem Bett gefallen war.

»Dabei gibt es doch noch so viele andere Sinne: fühlen, tasten, riechen – und natürlich hören! Vielleicht muß man sogar erst sein Augenlicht verlieren, damit man richtig zu hören lernt. Das, was wir Schicksal nennen, weil uns nichts Besseres dazu einfällt, denkt sich manchmal solche Lektionen für uns aus. Damit wir das Dankbarsein nicht vollständig vergessen. Denn ohne Musik wäre das ganze Leben ein einziger Irrtum.«

Unwillkürlich mußte Sina an diese Szene denken, als sie die Aussegnungshalle betrat. Fürst war schon da und blinzelte ihr kurzsichtig entgegen. Einst ein Hüne von barocken Ausmaßen, hatte er seit seinem Herzinfarkt zunächst mühsam abgenommen und war dann während der langen Krankheit seiner Frau immer gebeugter geworden, gleichsam auf seltsame Weise in seinen Kleidern geschrumpft. Kartoffelbrei aus der Tüte war offenbar über Wochen seine hauptsächliche Nahrung gewesen, während er am Bett seiner Frau ausharrte und darauf wartete, daß sie sich wie durch ein Wunder wieder in die Lotte zurückverwandeln würde, die er einmal geliebt hatte. Heute kam er ihr wieder stattlicher vor, vielleicht, weil er inzwischen zu anderen Speisen zurückgefunden hatte. Vielleicht aber auch, weil er sorgfältig rasiert war, sich aufrecht hielt, einen gestärkten weißen Kragen trug und einen eleganten schwarzen Hut.

»Es ist viel geschehen, seit wir uns das letzte Mal gesehen haben, Herr Kammersänger«, begrüßte ihn Sina, die wußte, wie viel ihm der Titel bedeutete, den ihm das bayerische Kultusministerium viel zu spät verliehen hatte. »Sie wissen ja, wie gern ich Ihre Frau gehabt habe. Ich bin sehr froh, daß ich wenigstens heute hier bei Ihnen sein kann.«

»Zu viel«, murmelte er und drückte ihr fest die Hand. In seinem weiten dunklen Lodenmantel erinnerte er sie vage an einen österreichischen Baron, und tatsächlich waren es ja die adeligen Operettenrollen gewesen, mit denen er in seinen späten Berufsjahren auf der Bühne und vor den Fernsehkameras brilliert hatte. »Es ist so seltsam ohne sie. Zu jeder einzelnen Stunde des Tages. Und besonders nachts, wenn alles so still ist.« Er hielt inne. »Meinen Sie, sie kann uns hören?«

»Gut möglich«, sagte Sina sanft. Es war schwierig, sich gegen die Schwermut des alten Sängers zu wehren. Sie suchte nach den richtigen Worten, die ihm ein wenig Trost geben konnten. »Eigentlich bin ich mir ziemlich sicher. Soweit man sich in diesen letzten Dingen überhaupt jemals sicher sein kann. Andere Kulturen, andere Sitten! Ich habe mir schon mehr als einmal gedacht, daß sie irgendwie besser damit zurechtkommen als wir in unserem hochgeschätzten Abendland. ›No beginning, no end.‹ Schön, nicht? Das hat vor vielen Jahren einmal eine alte buddhistische Nonne auf Bali zu mir gesagt. Dort ist die Leichenverbrennung das höchste aller Feste, auf das das ganze Dorf hinfiebert, bis endlich genug Geld zusammen ist, um es nach überlieferter Tradition zu zelebrieren. ›Hört endlich auf zu weinen! Es gibt keinen Anfang, kein Ende. Nur eure Illusionen. Nichts ist jemals fertig. Vor jedem Beginn liegt ein weiterer, auf jedes Ende folgt ein neues.‹«

»Kann schon sein, daß sie recht haben«, murmelte Fürst. »Aber ich bin zu traurig und zu müde, um das rauszufinden.«

»Frau Doktor Teufel?«

Sie nickte und wußte im gleichen Moment, wen sie vor sich hatte – den Sohn. Ein glatter Seehundkopf mit hellbraunem, zurückgekämmtem Haar, fahler Gesichtshaut, schmalen, wachsamen Augen. Geplatzte Äderchen und eine knollige, unnatürlich gerötete Nase verrieten seine Neigung zu Hochprozentigem.

»Sie müssen Leander Fürst sein«, erwiderte sie nicht übermäßig freundlich.

Der Mann war, wie sie wußte, etwas über vierzig, hätte jedoch für gut zehn Jahre älter durchgehen können. Ähnlichkeit mit seinen Eltern konnte sie nicht entdecken, zumindest nicht auf den ersten Blick. Ihm fehlte sowohl die

Grazie der Mutter als auch die väterliche Kraft und Robustheit; er hatte magere Glieder, die von einer unsichtbaren Last schon müde geworden waren, und einen spitzen Trinkerbauch, hielt sich schlecht und zog ständig den Kopf ein, als fürchte er Schläge oder Zurückweisungen.

Dabei hätte sein Start ins Leben besser nicht sein können. Ein lang ersehntes, spätgeborenes Kind, der Augenstern seiner Mutter, wie Sina aus Lottes schwärmerischen Erzählungen wußte, verwöhnt, verhätschelt – und leider zum Nichtsnutz erzogen. Schulabbruch, Hinauswurf aus diversen Lehrstellen, Spieler, Gelegenheitsarbeiter. Irgendwann hatte es ihn schließlich auf die Kanarischen Inseln verschlagen, wo er sich nun mit undurchsichtigen Immobilientransaktionen mehr schlecht denn recht über Wasser hielt. Seit mehreren Jahren jedenfalls hatte sich der Kontakt zu seinen Eltern vorwiegend auf Bettelbriefe und zunehmend unverschämtere Geldforderungen beschränkt, die ihn aus angeblich stets neuen Zwangslagen befreien sollten. Ständig auf der Suche nach dem ganz großen Coup, mit dem er das Ruder herumreißen und endlich zu den Gewinnern gehören würde, hatte er in Wirklichkeit eine Reihe kostspieliger Bauchlandungen produziert, für die nach seinen Aussagen natürlich immer andere verantwortlich gewesen waren.

Leander war nicht die Ursache für Lottes Verfall gewesen, sein rücksichtsloses Verhalten jedoch hatte entscheidend dazu beigetragen, daß sie den Lebenswillen mehr und mehr verloren hatte. Keiner ihrer flehentlichen Bitten, er möge nach München zurückkehren, war er gefolgt. Seinetwegen hatte nun sogar ihre Einäscherung um Wochen verschoben werden müssen, vorgeblich, weil er »drüben« beruflich unabkömmlich gewesen sei.

»In der Tat.« Er ließ eine kleine Pause folgen und fühlte

sich bemüßigt, ihren abschätzigen Blick zu kommentieren. »So gar nichts Blaublütiges, wie Sie unschwer sehen können.« Beim Lächeln sah man seine spitzen, gelblichen Zähne. »Na ja, mit diesem Namen kann man eigentlich sowieso nur Rennfahrer werden. Oder Säufer.« Exakt die Sorte Mann, die sich selber umwerfend schlagfertig fand, in Wirklichkeit aber genau das Gegenteil war, dachte Sina. »Was soll ich sagen? Das Tier im Menschen ist eben nicht so einfach auszurotten!«

»Sind das alle?« Sina ließ ihn einfach stehen und wandte sich wieder Ottfried Fürst zu. Der starrte seinen Sohn an wie ein gefährliches Reptil, das im nächsten Augenblick zuschnappen kann. Ein kleines Häuflein Dunkelgekleideter hatte sich in der gegenüberliegenden Ecke zusammengeschart. Etwas entfernt standen zwei junge Frauen in dezent-feierlicher Aufmachung, die Sina an verstaubte Konfirmationsmode erinnerte. »Haben Sie und Lotte denn im Domizil keine Freunde gefunden?«

»Keinen«, erwiderte er schnell. Dabei fiel ihr auf, daß sie etwas vermißte. Plötzlich wußte sie, was es war. Er mußte erst kürzlich beim Zahnarzt gewesen sein – das vertraute Klicken seines Gebisses war verschwunden. »Nicht einen einzigen.«

Das konnte nicht ganz stimmen, denn zwei alte Männer in schwarzen, schon ziemlich abgetragenen Anzügen grüßten überfreundlich herüber. Sie stammten beide eindeutig aus dem Oskar-Maria-Graf-Domizil für betagte Münchner Künstler, in das Lotte und Ottfried Fürst auf Sinas Drängen vor zwei Jahren gezogen waren. Einer groß, knochig und weißhaarig, eine dürre, leicht gebeugte Gestalt wie der Mann von la Mancha; der andere rund und klein, um den Hals trotz des warmen Wetters einen auffallenden Brokatschal. Beide kannte sie sogar persönlich: Für den Dürren hatte sie vor einiger Zeit ein kleines Mandat übernommen, weshalb sie wußte, daß er den Fürsts nahestand, der andere war sein Freund und Schatten, der nach Möglichkeit niemals von seiner Seite wich.

Außerdem war natürlich die Leiterin des Domizils da, Maria Schnell, eine mittelgroße, vollbusige Frau Anfang Fünfzig, die sich für diese Gelegenheit zu stark gepudert und sogar ein bläuliches Rouge aufgelegt hatte.

»Und Ihre Fangemeinde? Eigentlich habe ich heute mit einem regelrechten Ansturm gerechnet.«

Fürsts einst berühmter Baß wurde grollend: »Die vergessen schnell, was denken Sie denn? Jetzt erstrahlen ganz andere Sterne am Opernhimmel als ein ausgemusterter Bassist. Und außerdem ist ja Lotte tot. Nicht ich.«

Das klang so ungewohnt bitter, daß sie verwundert seinen Blick suchte, aber der Kammersänger stierte zu Boden. Sein breiter Rücken bebte. Vermutlich ertrug er das Alleinsein nur schwer, was schon zu ihren Lebzeiten Lottes größte Sorge gewesen war.

»Der ißt doch nicht einmal richtig, wenn man sich nicht von morgens bis abends um ihn kümmert«, hatte sie zu Sina gesagt, als sie die beiden in ihrem neuen Heim am Biederstein besuchte und es ihr bereits sehr schlecht ging. Lotte trug einen alten Morgenmantel mit verblaßtem Paisley-Muster und war zum erstenmal, seitdem Sina sie kannte, nachlässig gekämmt. »Und seine Tabletten nimmt er auch nicht regelmäßig, wenn ich ihn nicht ständig daran erinnere. Trotz der Bypass-Operation und dem Zetern unseres alten Hausarztes, der sich jedesmal furchtbar aufregt, wenn er es erfährt. Was soll ich Ihnen sagen, Frau Teufel? Uns Frauen bleibt doch gar nichts anderes übrig, als rasch erwachsen zu werden. Männer dagegen können es sich leisten, bis zum Lebensende Kinder zu bleiben.«

»Auf jeden Fall gibt es eine ganze Menge, die endlos in der Pubertät verharren. Was ich aus eigener Erfahrung bestätigen kann.«

»›Eine Frau liebt in einem fort‹«. Lotte Fürst lächelte unbestimmt. »Kennen Sie das? ›Ein Mann hat dazwischen zu tun.‹ Das stammt meines Wissens von Jean Paul. Und selbst wenn nicht, so hat der, der es gesagt hat, mehr als recht damit gehabt.«

Die Tür der Aussegnungshalle schloß sich. Ein untersetzter Friedhofswärter erschien mit der Urne, einem erstaunlich geschmacklosen Bronzegefäß, das er auf einem kleinen Pult abstellte.

»Wir haben uns heute hier versammelt, um Abschied von Charlotte Fürst zu nehmen«, begann er routiniert herunterzuleiern. »Die verehrte Tote ist …«

»… geliebt, beweint und unvergessen«, fiel ihm Leander Fürst mit Falsettstimme ins Wort. »Das wäre doch sicherlich als nächstes gekommen, oder? Bla, bla, bla … lauter dreiste Lügen. Nicht ein einziges ernstgemeintes Wort darunter.«

»Das reicht, Leander«, unterbrach ihn sein Vater scharf. »Und etwas Anstand, ja, wenn ich bitten darf! Das zumindest bist du deiner Mutter schuldig. Im übrigen bestimme ich, was hier gesagt wird und was nicht.«

Er wandte sich halb zur kleinen Trauergemeinde und hob die Hand wie ein Dirigent, der seinem Orchester den Einsatz gibt. Dabei glitzerten die doppelt um das Zifferblatt gesetzten Diamanten seiner Armbanduhr, die er niemals ablegte. Die beiden herausgeputzten jungen Frauen hatten sich in Positur gestellt. Zwei Absolventinnen der Musikhochschule, wie Fürst Sina zugeraunt hatte. Meisterklasse. Beide äußerst vielversprechend. Agenten würden binnen kurzem Schlange stehen.

Ein reiner, süßer Sopran und ein warmer Alt mischten sich zu einem der wohl schönsten Liebesduette der Opernmusik:

> *»Ist ein Traum, kann nicht wirklich sein,*
> *Daß wir zwei beieinander sein,*
> *Beieinand für alle Zeit*
> *Und Ewigkeit.«*

»Den ›Rosenkavalier‹ hat sie mehr als alles andere geliebt«, sagte Ottfried Fürst später, als er neben Sina den schier endlosen Kiesweg entlang zum Grab ging. Über ihnen rauschten die Wipfel der alten Bäume. Irgendwo ganz in der Nähe war eine Amsel zu hören. Nirgendwo nasse, leicht faulige Blätterhaufen, keine Krähen, die wie schwarze Todesboten in den Zweigen saßen: nicht ein Zeichen von Vergänglichkeit oder Verwesung. Vielmehr ein heiterer, sommerlicher Park, beinahe wie auf einem liebevoll gepinselten Aquarell, wären da nicht die Grabsteine und Kreuze gewesen, zwischen dem gepflegten Rasen, den Büschen und Bäumen. Die laute, verkehrsreiche Straße, die sie vorhin überquert hatten, erschien Sina nun wie der Grenzfluß Styx, der die Stadt der Toten strikt von der der Lebenden trennte.

»Der ›Rosenkavalier‹, ich weiß«, erwiderte Sina leise, die sich inmitten der friedvollen Stille nur mühsam gegen den Strom der Erinnerung wehren konnte. Am tiefsten saßen die Bilder vom Begräbnis ihrer Mutter. Der Schmerz hatte sich im Lauf der Jahre verändert, war dumpfer geworden und vertrauter, nicht mehr so schneidend wie die Rasierklinge, die so lange in ihr gewütet hatte, aber er war noch immer da. Damals hatte sie es nicht fassen können, daß man ihre Mutter, die das Licht so geliebt hatte, einfach in der dunklen, feuchten Erde begrub. Und bis zum heutigen Tag bereitete ihr diese Vorstellung starkes Unbehagen.

Wenigstens, dachte sie und bemühte sich, sich auf das Gleichmaß ihrer Schritte zu konzentrieren, um wieder ruhiger zu werden, liegt Friederikes Asche auf dem Grund des Starnberger Sees. Nicht ganz legal, aber immerhin genauso, wie ihre beste Freundin es sich immer gewünscht hat. Gefährliche Erinnerungen, trotz allem. Obwohl inzwischen der dritte Sommer seit dem Freitod Friederikes angebrochen war, erschien ihr dieser noch immer wie eine Flucht oder sinnlose Verschwendung und machte sie mal wütend, dann wieder hilflos oder bedrückt. Aber das war ihre ganz persönliche Angelegenheit, die keinen etwas anging.

Betont lebhaft wandte sie sich deshalb wieder dem Kammersänger zu: »Und ich weiß auch, weshalb. Es hat auf Europas Opernbühnen niemals einen besseren Ochs von Lerchenau gegeben. Bis zum heutigen Tage nicht. Der betagte Strauss hat schon gewußt, weshalb er Ihnen und keinem anderen kurz vor seinem Tod die Partitur geschenkt hat.«

»Ja, ja, die guten alten Geschichten«, mischte sich Leander Fürst unaufgefordert ein, der dabei einen strengen Blick von der Heimleiterin kassierte. »Vorausgesetzt allerdings, man gibt sich damit zufrieden, sein ganzes Leben die Rollen alter Dummköpfe oder gefoppter Tölpel zu verkörpern. Bassistenschicksal? Nicht jedermanns Sache, würde ich sagen, aber wenn es halt als Sänger zu nichts anderem reicht ...«

Plötzlich begann er leise zu singen, nicht unmelodisch, für einen Mann jedoch erstaunlich hoch:

> *»Ja, das alles, auf Ehr,*
> *Das kann ich und noch mehr,*

Wenn man's kann ungefähr,
Ist's nicht schwer – ist's nicht schwer!«

Er hielt inne. »Ach, jetzt hätte ich mich doch beinahe vertan! Das ist natürlich eine Siegerarie und gehört damit selbstredend dem Tenor. Für den dummen, dicken Bassisten des Stücks sind in der Regel Schweine gerade gut genug.« Er imitierte freches Schweinegrunzen, verstummte dann abrupt und blieb wieder ein Stück zurück, als habe er für den Augenblick genug.

Allerdings hatte er die Rechnung ohne Sina gemacht, der nicht entgangen war, wie der Kammersänger bei dieser Verunglimpfung des »Zigeunerbarons« – und damit einer seiner weiteren umjubelten Paraderollen – schmerzlich zusammengezuckt war.

»War das wirklich nötig?« fragte sie schärfer, als zunächst beabsichtigt. Am liebsten hätte sie ihn durchgeschüttelt, aber damit kam sie vermutlich ein paar Jahrzehnte zu spät. »Sie sehen doch, wie Sie ihm zusetzen! Es bricht ihm das Herz, wenn Sie so daherreden.«

Er zuckte die Achseln. Sein Ton wurde blasiert. »So ein bißchen Abschied bringt den alten Bullen nicht um. Und was sein Herz betrifft, so ist es kalt, ganz und gar aus Stein, Sie wissen schon, wie in dem berühmten Märchen von Hauff, mit dem er mich immer traktiert hat. Großer Gott, wie habe ich mich als Kind beim Vorlesen dabei gefürchtet!«

Wenigstens hielt er nun für eine Weile den Mund. Sina wollte möglichst schnell weitergehen, da hörte sie ihn plötzlich etwas murmeln.

»Sie hat die Frommen immer ganz besonders beneidet. Charlotte, meine ich. Ich kann mich erinnern, daß sie es schon gesagt hat, als ich noch ganz klein war. Damals ist sie am liebsten mit mir zum Spielen auf Friedhöfe gegangen. Dort hat sie mir erzählt, daß man auch ohne Tränen weinen kann. Sogar wenn es dann ganz besonders weh tut. Seit heute weiß ich, wie recht sie damit gehabt hat.« Ein seltsames Knurren, als sei ihm plötzlich etwas in den Hals gekommen.

»Die Frommen? Weshalb?« wollte Sina überrascht wissen. Besonders religiös war ihr Lotte Fürst niemals erschienen. Humorvoll, kritisch, das ja, und lebensklug dazu. Eine wohldosierte Balance aus Spott, Liebenswürdigkeit und Selbstironie. Aber gläubig? Und diese angebliche Vorliebe für Friedhöfe kam ihr auch äußerst merkwürdig vor. Aber wer konnte schon mit Bestimmtheit sagen, was tief in den Seelen der Menschen schlummerte? Nachdem auf einmal sogar dieser Klotz von Sohn einen Hauch von Gefühl zeigte.

»Weil die wenigstens wissen, wohin sie gehören.«

»Und das wußte Ihre Mutter nicht?«

»Hätte sie sonst diesen Mann geheiratet?«

Ein Frösteln überkam sie, als hätte sie das Ohr an das Schlüsselloch einer fremden Wohnung gedrückt und dabei Dinge erfahren, die sie nichts angingen und die sie lieber gar nicht gewußt hätte.

Der Kammersänger blieb stehen und der kleine Trauerzug mit ihm. In der zweiten Reihe vor ihnen lag ein exakt geschaufeltes Urnengrab. Sie gruppierten sich um die frisch aufgeworfene Erde. Der Friedhofswärter – wohl wegen der vorherigen Unterbrechung noch immer verschnupft – senkte die Urne stumm hinab. Ottfried Fürst trat ganz nah heran und schluckte mehrmals, als falle ihm auf einmal das Sprechen schwer. Dann ließ er behutsam eine langstielige weiße Rose auf die Urne fallen.

Und kam zu Sinas Erstaunen auf ihre Worte von vorhin zurück: »Da unten liegt sie nicht wirklich, meine Lotte.« Er kniff die Augen zusammen, als sei das Sonnenlicht zu grell für ihn. »Auch wenn wir nicht genau ausmachen können, wo sie jetzt ist. In der Luft, die uns umweht? Im Regen? Oder im Wind? Aber eines weiß ich: in meinem Herzen – immerdar. Was auch geschehen mag. Denn das Leben geht weiter. Ja, Lotte, das Leben muß doch weitergehen!« Er breitete die Arme aus, dann ließ er sie langsam wieder sinken, als sei nun alles gesagt.

»Nichts als schwülstiger Operettenkitsch«, zischte Leander Fürst ebenso bösartig wie unüberhörbar, »und zwar aus der alleruntersten Schublade. Damit hat er sie fertiggemacht. Ein Leben lang. Und nicht einmal hier und heute schreckt er davor zurück, sie zu …«

Das war mehr als genug. Kurz entschlossen bohrte ihm Sina ihren spitzen Absatz in den Rist. Er schrie halblaut auf, quiekend, voller Empörung. Nicht übermäßig eilig zog sie ihr Marterwerkzeug zurück und setzte eine unbeteiligte Miene auf.

»Es gibt Menschen, die sind wie Krankheiten«, sagte sie wie zu sich selber.

Er fuhr zu ihr herum, überraschend geschmeidig für seine körperliche Verfassung. Sein Mund hatte sich verzerrt, als sei er im Begriff, eine neue Gemeinheit auszuspucken, dann aber schien er sich anders zu besinnen.

»Dann wären ihre Mörder Ärzte? Wollten Sie vielleicht etwas in dieser Richtung andeuten?« Sein dünnes Lächeln war alles andere als freundlich. »Wissen Sie, eigentlich gefallen mir solche Kratzbürsten wie Sie.« Er betonte jedes einzelne Wort. »Besonders im Bett. *Zorra*, so sagt man dazu bei uns auf den Kanaren. Mal sehen, ob Sie als Anwältin auch soviel drauf haben. Sie wissen ja, Anwälte sind die Sorte Menschen, die fett vom Elend anderer werden.« Ein

hohles Kichern, das rasch erstarb. »Der Alte kann sich jedenfalls schon mal warm anziehen. Denn ich fordere ein,
was mir zusteht, darauf können Sie sich verlassen. Und
zwar jeden einzelnen verdammten Pfennig meines Erbes.«
Ottfried Fürst, der zugehört hatte, machte eine Bewegung,
als wolle er sich auf ihn stürzen. Die beiden alten Herren
hielten ihn gerade noch zurück, während Maria Schnell
ein Gesicht zog, als habe sie gerade eine Kröte verschluckt.
Schwer atmend starrte er seinen Sohn an.
»Du ekelst mich an«, schrie er. »Daß du dich nicht schämst,
nach allem, was sie für dich getan hat!«
»Nimm dich lieber selber an der Nase!« belferte Leander
zurück. »Wer hat sie denn zum Verzicht auf eine eigene
Karriere genötigt, um sie anschließend über Jahrzehnte
mit seinen Weibergeschichten krankzumachen? Aber jetzt
hast du sie ja endlich unter die Erde gebracht und kannst
ungehindert herumhuren, soviel du willst – Gratulation!«
»Was bildest du dir ein, du … du Ungeheuer!«
Fürst taumelte leicht und faßte sich an die Brust. Seine
Rechte tastete nach dem Nitrospray, das er für Notfälle
stets in der Manteltasche mit sich führte. Er betätigte den
Drücker hastig, atmete gierig den ersten Stoß ein. Sina
kam besorgt näher, aber er fuhr, kaum ging es ihm nur
eine Spur besser, unbeirrt in seinem Zornesausbruch fort.
»So einen wie dich hätte man schon bei der Geburt ersäu-
fen sollen!« stieß er hervor. Sein Gesicht war blaurot ange-
laufen. »Ohne Skrupel hast du uns ausgenommen. Aber
jetzt ist Schluß damit! Nicht einen roten Heller kriegst du
mehr von mir. Das schwöre ich dir, hier am Grab deiner
Mutter!«
»Wahrscheinlich hast du sogar recht«, kam es zynisch zurück. »Aber leider warst du schon damals ein verdammter
Feigling, und nun wird dich diese kleine Unterlassungs-

sünde eine stolze Stange kosten. Ich ziehe dich aus, werter Herr Papa. Darauf kannst du dich verlassen! Bis zum letzten Hemd.«

Wie zwei Kampfhähne starrten sie sich an. Dann drehte sich Leander Fürst abrupt um und stakste davon. Leicht betreten zerstreuten sich die wenigen Trauergäste. Die beiden alten Männer, die unterschiedlicher kaum hätten sein können, gingen allerdings nicht fort, ohne sich mehrmals besorgt umzudrehen.

»Kommen Sie denn allein mit ihm zurecht, Frau Teufel?« fragte Maria Schnell besorgt. »Er kann ja so eigen sein, seitdem seine liebe Frau …«

»Aber ja. Ich bringe ihn wohlbehalten ins Domizil zurück.« Sina fühlte sich auf einmal erschöpft. Schon jetzt konnte sie sich vorstellen, wie es weitergehen würde. Nicht der erste Fall, bei dem sich Vater und Sohn am liebsten bei lebendigem Leib zerfleischt hätten. Auch wenn es sich, bei Licht betrachtet, gar nicht lohnte. Schließlich wußte niemand besser Bescheid als sie, wie es um Fürsts finanzielle Lage stand.

»Geht es wieder?« wandte sie sich an den Kammersänger. »Sie dürfen sich nicht so aufregen, Herr Fürst! Das tut Ihnen nicht gut und Ihrem Herzen schon gar nicht. Außerdem wäre Ihre Frau mit Sicherheit sehr traurig darüber.«

Ein wütendes Schnauben. Aber er schien ruhiger zu werden, und der ungesunde Teint verblaßte langsam. »Besser gar keinen Sohn als diesen!«

»Ich denke, er blufft«, sagte sie. »Viel mehr bleibt ihm nicht. Und was die Testamentseröffnung betrifft …«

»Keinen Pfennig für Leander – nur über meine Leiche! Und selbst dann nicht, wenn ich es irgendwie verhindern kann. Sie müssen mir helfen, Frau Teufel! Lieber lasse ich alles noch vorher in die Isar werfen. Verteile es an irgend-

42

welche Fremden. Oder vermache es dem hiesigen Tier-
schutzverein. Sogar eine Stiftung zugunsten von wem auch
immer wäre denkbar. Alles immer noch besser als mein
leiblicher Sohn! Das ist mein letztes Wort.«
Resigniert schwieg sie. Familiendramen gehörten zum Un-
erfreulichsten, was ihr Beruf zu bieten hatte. Sie wußte
schon, weshalb sie sich seit Beginn ihrer juristischen Lauf-
bahn strikt geweigert hatte, Scheidungsmandate zu übernehmen, und seien sie noch so lukrativ. Eine instinktive
Abneigung. Sie resultierte nicht nur aus den Erfahrungen
ihrer eigenen gescheiterten Ehe, die sie mit gerade mal
zwanzig und unzähligen Illusionen eingegangen war. Sie
hatte Jahre gebraucht, um ihr vielfach gebrochenes Herz
wieder einigermaßen zusammenzuflicken, und manchmal
war sie sich bis heute nicht sicher, ob es ihr wirklich gelungen war.
Inzwischen war es unangenehm heiß geworden. Die Sonne
brannte regelrecht herunter, weshalb viele der frisch ge-
pflanzten Blümchen bereits durstig die Köpfe hängen
ließen. Sina schaute sich leicht genervt um und wünschte
sich schnellstens an ihren Schreibtisch zurück. Schon eine
ganze Weile war ihr aufgefallen, daß sich eine Frau ein
paar Gräber weiter zu schaffen machte, obwohl es dort eigentlich nichts zu tun gab. Bunte, makellose Blumenrabatten, ein wuchtiger, dunkler Marmorstein mit goldenen Ver-
salien, nicht ein störendes Blättchen auf dem frisch gemäh-
ten Rasenstreifen. Offenbar nahm die Frau die Grabpflege
äußerst genau. Und vermutlich hatte sie die lautstarke Auseinandersetzung zwischen Vater und Sohn gefesselt. Selbst
jetzt unternahm sie keinerlei Anstalten, sich zu entfernen.
Das Gesicht konnte Sina auf die Entfernung nicht genau
erkennen, aber optisch paßte die Aufmachung zum peinlich ordentlichen Arrangement der Grabstelle. Die Frau

war mittelgroß und üppig, aber gut proportioniert. Sie versteckte ihren Körper nicht, wie es viele Frauen in ihrem Alter taten, als seien sie mit Beginn der Wechseljahre in eine geheimnisvolle Wahrnehmungsfalle geraten, die sie plötzlich unsichtbar für die Umwelt machte. Nein, diese Frau präsentierte ihren Körper selbstbewußt in einem knapp sitzenden, cremefarbenen Chanel-Kostüm. Dazu trug sie einen flotten kleinen Hut, unter dem blondiertes Haar hervorblitzte, reichlich Goldschmuck, helle Wildlederpumps und schwarze Nylons, die ihrer sonst eher damenhaften Aufmachung etwas überraschend Verruchtes verliehen. Offensichtlich neugierig, lugte sie immer wieder verstohlen herüber.

Und plötzlich schien es Sina einen Augenblick lang, als habe der Kammersänger der Unbekannten ein kleines Zeichen gegeben.

Der Moment war vorüber, bevor sie es recht gesehen hatte. Wahrscheinlich war sie ohnehin einer Täuschung erlegen. Und wenn nicht, dann ging es sie auf alle Fälle nichts an. Sina schüttelte den Kopf. Jetzt begann sie schon am frühen Morgen herumzuphantasieren, vermutlich nicht zuletzt, weil die neuen Schuhe scheußlich zu drücken begonnen hatten. Allerhöchste Zeit, sie so schnell wie möglich loszuwerden, sich wieder hinter ihre Akten zu klemmen und endlich etwas Effektives zu leisten.

»Kommen Sie, Herr Fürst!« Sie bot ihm ihren Arm. »Ich bringe Sie jetzt nach Hause. Und unterwegs erzähle ich Ihnen noch einmal, was Sie übermorgen beim Nachlaßgericht erwartet. Damit Sie sich ganz sicher fühlen und von Leander nicht unnötig provozieren lassen.«

Er folgte ihr gehorsam. Doch plötzlich blieb er stehen und drehte sich langsam um.

Sina tat es ihm nach.

Die Frau war verschwunden.

Hinter ihnen war nichts mehr als die hellen, gepflegten Kieswege, die Gräber mit ihren Steinen oder Kreuzen und das laute, fast schon aufdringlich fröhliche Zwitschern der Vögel hoch über ihren Köpfen.

Vier

Als Sina ein paar Tage später die Tür zur Kanzlei aufschloß, ertönte erst Knurren, dann lautes Bellen. Und schon warf sich gegen ihr Schienbein ein knöchelhohes, geflecktes Etwas, das sich bei näherer Betrachtung als junger, offenbar ziemlich aufgebrachter Hund entpuppte. Pech, daß sie ausgerechnet heute ihren Wickelrock aus indischer Rohseide anhatte. Entweder schien das Tier die Farbe Himbeerrot nicht leiden zu können oder es mußte sonstige Antipathien gegen Stoff beziehungsweise Trägerin hegen. Auf jeden Fall biß sich der Kleine mit spitzen Zähnchen im Saum fest. Sina gelang es nicht, den Quälgeist abzuschütteln.

»Aus! Pfui! Laß mich doch in Frieden!« Allmählich begann sie, wütend zu werden. »Wo kommt denn auf einmal dieser Köter her?«

»Jacky? Das kann nur Jacky sein! Wo steckst du denn, mein Putzelchen?« flötete Hanne aufgeregt vom anderen Gangende her. »Sei brav und komm zu deiner Mama!«

»Putzelchen« machte keine Anstalten, seine Beute loszulassen. Ganz im Gegenteil. Er schien das teure Kleidungsstück inzwischen als eine Art Schmusedecke eingeordnet zu haben, an der man nach Herzenslust hin und her zerren konnte.

»Bring ihn zur Vernunft, aber schnell, das rate ich dir!« rief Sina Hanne entgegen, die sich ihr ungewöhnlich behende näherte. »Oder du kannst ihn als Ragout für dein Mittagessen wiederfinden!«

»Untersteh dich!« brüllte Hanne. Aber sie schien sich endlich doch auf ihre Pflichten als frischgebackene Hundehalterin zu besinnen. »Aus, Jacky, pfui! Folgst du jetzt endlich? Aus! Ich sage: aus!«

Was nicht das geringste fruchtete. Hanne blieb nichts anderes übrig, als in sein im Verhältnis zur geringen Größe durchaus beeindruckendes Gebiß zu fassen, was er mit einem empörten Schnapper quittierte. Dann aber war er friedlich, ließ los, blieb selbstbewußt breitbeinig stehen und bellte plötzlich schwanzwedelnd zu Sina empor.

»Das hat er nur getan, weil du ihn aus irgend einem Grund halb zu Tode erschreckt haben mußt.« Hanne rieb sich die schmerzende Hand, die bereits mehrere Blessuren zeigte. »Eigentlich ist er lammfromm. Und die Gutmütigkeit in Person. Ein süßer kleiner Schatz. Ich könnte ihn den ganzen Tag lang durchknuddeln.«

»Etwa hier?«

»Natürlich hier. Wo denn sonst? Schließlich ist Jacky noch ein halbes Baby. Und Babys brauchen eben viel Zuwendung.«

»Von wegen! Und eine Menagerie in der Kanzlei hat uns zu allem gerade noch gefehlt.«

Zum Glück war der Schaden unbedeutend. Ein paar Fäden, die sich wieder festnähen ließen, sonst war nichts Schlimmes passiert. Zumindest, was den Rock betraf. Anderes wog schwerer. Auch wenn es durchaus eigennützig sein mochte, hatte Sina sofort umrissen, welche Änderungen der kleine, schwarzweiß gefleckte Geselle nicht nur für Hannes Leben mit sich brachte. Ein Jagdhund! Erfahrungsgemäß gab es leider keinen Jagdhund, der sich freiwillig mit Katzen arrangiert hätte. Demzufolge hatte Taifun mit einem Schlag seinen wichtigsten Pensionsplatz verloren und Sina ein ernstzunehmendes Problem mehr, wenn sie ihren Liebsten für ein paar Tage in Berlin besuchen wollte.

»Komisch, daß ausgerechnet für mich immer andere Regeln gelten sollen«, maulte Hanne. »Denk nur mal an das Tamtam, das du seit Jahren mit deinem Kater aufführst: Taifun vorn, Taifun hinten! Von Ankes dicker, alter Paula einmal ganz zu schweigen, die mit deinem stillschweigenden Einverständnis schon unseren halben Flurteppich aufgefressen hat. Und anderes, das ich lieber nicht erwähne. Das mit dem ›Köter‹ habe ich übrigens großzügig überhört. Mein Kleiner ist ein waschechter Jack Russell. Mit ellenlangem Stammbaum.«

»Der unsere Klienten anfällt, bevor sie auch nur einen Piep gesagt haben? Außerdem ist Paula eine weise buddhistische Seele, die nicht nur seit einer halben Ewigkeit zur Familie gehört, sondern in früheren Leben mindestens einmal erleuchtet war. Und Taifun wartet brav in meiner Wohnung und belästigt außer ein paar frechen Tauben auf der Dachterrasse nichts und niemanden.«

Ihre Mißstimmung war so schnell verflogen, wie sie gekommen war. Vielleicht wohnten Taifun und sie ja ohnehin bald bei Laszlo in Berlin. Dann war es dort notwendig, sich um neue Katzensitter zu kümmern.

Hanne schien sie gar nicht zu hören.

»Man muß ihn eben richtig erziehen«, sagte sie. »Das ist alles. Dann klappt es garantiert reibungslos. Konsequent, aber liebevoll.« Sie vergrub ihre Nase in Jackys Nacken, was er zu mögen schien. Jedenfalls gab er keinen Muckser von sich, sondern hing reglos in ihrem Arm. Mittlerweile hatten sich Tilly Malorny und Marina König als Auditorium vor dem Sekretariat aufgebaut, offenbar entschlossen, nicht ein Wort der bühnenreifen Auseinandersetzung zu versäumen. »Bill«, fuhr Hanne fort, »meint auch, der Kleine braucht lediglich ein bißchen Schliff, und dann kann …«

»Bill, wer auch sonst!« Sina machte es inzwischen richtig Spaß weiterzusticheln. Hannes Exillette bot ja auch jeden nur denkbaren Anlaß dazu. Was hatte er nicht schon alles angeschleppt! »Hätte ich mir ja gleich denken können! Hat er ihn von einem Boß der Russenmafia? Warte, warte, sag bloß nichts! Ich krieg die ganze Geschichte gleich zusammen.« Sie mußte sich auf die Lippen beißen, um angesichts Hannes fassungsloser Miene nicht loszuprusten. »Der hat ihn teuer erstanden und wollte ihn zunächst eigentlich als Kampfhund im Rotlichtmilieu einsetzen. Aber leider stellte sich bei näherer Betrachtung heraus, daß Jacky als wandelnde Weißwurst weitaus größeren Erfolg haben würde. Was passierte also? Der Hund wurde zum Entsorgen an Bill gegeben, der wiederum nichts Eiligeres zu tun hatte, als ihn an dich abzuschieben.« Sie konnte froh sein, daß kein Schuh flog, aber Hanne war auch so wütend genug.

»Du bist echt unmöglich! Glaub mir, Sina T., ich kann sehr gut ohne dich zurechtkommen.«

Hocherhobenen Hauptes zogen Sozia und Hund in Hannes Büro ab. Die Tür flog ins Schloß.

»Nun, ich nicht, Frau Bromberger«, rief Sina ihr hinterher. »Ohne dich würde mir hier in diesem Affenstall alles garantiert nur halb soviel Spaß machen.«

Noch immer erheitert, nahm sie am Schreibtisch Platz. Ein paar routinierte Handgriffe genügten, dann war das Aktenchaos soweit gelichtet, daß sie den heutigen Ablauf planen konnte. Einer der »Hammertage«, wie Bürovorsteherin Tilly Malorny sich auszudrücken pflegte, die es trotz aller gegenteiligen Anweisungen nicht lassen konnte, ihrer Chefin Termine und Mandantenbesuche im Halbstundentakt aufzubrummen. Es blieb ihr gerade noch Zeit, sich einen Kaffee aus der Thermoskanne auf dem Besuchertischchen einzugießen, die Marina ihr jeden Morgen bereitstellte, und schnell Laszlos Foto zuzunicken, das sie seit einigen Monaten ganz offen im Regal stehen hatte.

◆

Die neue Mandantin, die gerade ihr Büro betrat, kam auf Empfehlung von Rita Russow, die seit Jahren ein florierendes Unternehmen mit ausnahmslos weiblichen Bodyguards betrieb. Ihre beste Freundin, wie sie gleich bei der Begrüßung betonte. Allerdings hätten die beiden Frauen unterschiedlicher kaum sein können. Die rote Rita, die ihren Spitznamen der lockigen Mähne verdankte, zog mit ihren üppigen, durchtrainierten Formen jeden Männerblick auf sich; Dr. Antonia Frisch dagegen gehörte eher zur Kategorie der unscheinbaren Mäuse.

»Und was kann ich für Sie tun?«

Die zierliche Brünette legte die Stirn in Falten. »Hätten Sie gedacht, Frau Teufel, daß alte Menschen so gemein sein können?«

Ihr Rehblick ließ sie naiver aussehen, als sie vermutlich war. Dazu kam ihr offenkundiger Hang zu altbackener Kleidung, die wirkte, als stamme sie direkt vom Flohmarkt oder aus dem Schrank einer jüngst verstorbenen Erbtante.

»Ich weiß nicht, ob es ausgerechnet das Alter ist, das den Charakter verdirbt«, entgegnete Sina, der noch immer lebhaft der erbitterte Kampf vor Augen stand, den sich Fürst senior und junior beim Nachlaßrichter geliefert hatten. Ottfried und Lotte hatten sich für den Fall des Ablebens eines Ehepartners gegenseitig zum gesetzlichen Alleinerben eingesetzt, was im Klartext bedeutete, daß dem Sohn nur der Pflichtteil zustand. Leander war während der Testamentseröffnung nur mit Mühe davon abzuhalten gewesen, sich auf seinen betagten Vater zu stürzen, der ihm allerdings in seinem fast schon alttestamentarischen Ingrimm kaum nachgestanden hatte. Dabei war es zu wüsten Beschimpfungen gekommen, mit dem Ergebnis, daß Nachlaßrichter Elmar Hagedorn sehr deutlich geworden war und der Alte wieder zu seinem Nitrospray greifen mußte. Nicht der Ansatz einer Versöhnung. Ganz im Gegenteil. Noch jetzt wurde Sina richtig mulmig, wenn sie an den Kammersänger dachte.

»Lassen Sie es mich einmal so sagen: Vor Dummheit schützt das Alter schon mal garantiert nicht. Wieso dann eigentlich vor Gemeinheit?«

Antonia Frisch rutschte unbehaglich auf dem Stuhl hin und her. Mit ihren zusammengezwirbelten Löckchen im Nacken, den gestrickten Strümpfen bei frühsommerlichen Temperaturen und dem beigefarbenen Spitzenkragen über klösterlichem Dunkelgrau hätte sie ohne weiteres einem Stift für junge Damen um die Jahrhundertwende entsprungen sein können.

»Ich muß ein bißchen ausholen«, sagte sie entschuldigend. Kleine Schweißperlen standen auf ihrer hohen, blassen Stirn. »Damit klar wird, worauf ich mich eingelassen habe. Außerdem fühle ich mich ziemlich elend. Wissen Sie, ich habe vor lauter Ärger seit ein paar Nächten kaum mehr geschlafen. Daß ausgerechnet mir so etwas passieren muß!«

»Fangen Sie einfach von vorn an! Gemeinsam kriegen wir dann schon Struktur in die Angelegenheit.« Jetzt hätte Sina ein halbes Königreich für eine Zigarette gegeben! Sie kniff die Lippen zusammen. Sie würde durchhalten. Aber es konnte nicht schaden, die neue Mandantin ein bißchen aufzumuntern. »Wissen Sie, es ist alles andere als eine Schande hinzufallen. Nur zu lange liegen zu bleiben, sollte man sich besser verkneifen. Besonders heutzutage. Und erst recht als Frau. Also: Kaffee?«

Ein Lächeln verschönte das Gesicht der jungen Besucherin. Sie nahm dankend an und begann zu erzählen, langsam, auf die exakte, umständliche Art, mit der sie offenbar auch ihren Beruf ausübte, den sie als echte Berufung verstand. Wenn man ihr glauben konnte, und Sina hatte keine Veranlassung, das nicht zu tun, gehörte Antonia Frisch nicht zu der Sorte Mediziner, die es auf die schnelle Mark abgesehen hatten. Dazu lag ihr das Wohl ihrer Patienten zu sehr am Herzen. Nach einer Assistenzzeit an der Pathologie und einigen Jahren Tätigkeit auf der internistischen Station des Dachauer Krankenhauses hatte sie ihre Selbständigkeit lange erwogen und ebenso sorgfältig geplant. Dr. Leonhard Fallenstein, wie er selber sagte, auf dem direkten Weg in den Ruhestand, hatte ihr für zweihunderttausend Mark seine Praxis in Haidhausen zum Verkauf angeboten. Inbegriffen Möbel und medizinische Gerätschaften, darunter auch ein mit knapp fünfzigtausend bewerteter, beinahe schon antiker Röntgenapparat, der seit Jahren vom Gewerbeaufsichtsamt gesperrt war, da die vorgeschriebenen Strahlenschutzprüfungen nicht mehr durchgeführt worden waren.

»Was den geschätzten Kollegen keineswegs gehindert hat, ihn fröhlich weiterzubenutzen. Können Sie sich vorstellen, was das für seine Patienten bedeutet? Die hat er damit einem Strahlenrisiko ausgesetzt, das heute niemand mehr verantworten darf. Ich konnte es nicht fassen, als ich darauf gestoßen bin. Und stellen Sie sich vor: Er hat es nicht einmal abgestritten! Dabei rede ich gar nicht von den unzähligen abgelaufenen Pharmaproben, die ich erst einmal mühsam entsorgen muß. Auf meine Kosten, versteht sich.«

»Wissen Sie was? Sie ziehen den Stecker raus und wir ihn

zur Verantwortung.« Sina hatte sich bereits Notizen gemacht. »Es könnte sich um unerlaubtes Betreiben von genehmigungsbedürftigen Anlagen handeln, laut Paragraph ...« Sie blätterte in der Gesetzessammlung. »Da haben wir ihn ja, 327 StGB, was allerdings noch zu prüfen ist. Mit Sicherheit liegt aber eine vorsätzliche Körperverletzung vor. Darüber hinaus können wir Betrug geltend machen.«

Antonia Frischs Augenbrauen schnellten fragend nach oben.

»Ganz einfach: Weil er für ein in Wahrheit wertloses Röntgengerät einen Zeitwert von stolzen fünfzigtausend angesetzt hat. Juristisch gesehen, hat er Sie damit über den Wert des Gerätes getäuscht und durch eben diese Täuschung veranlaßt, den überhöhten Betrag zu bezahlen.« Sina blätterte weiter. »Damit kommt er aber nicht durch, der neunmalschlaue Doktor Fallenstein! Ich nehme an, Sie haben sich bereits erkundigt, wie hoch die Reparaturkosten liegen, um das Ding nach heutigem Standard funktionsfähig zu machen?«

Die Ärztin nickte. »Mindestens vierzigtausend«, sagte sie.

»Und es bleibt trotz allem noch hoffnungslos veraltet. Ich habe nicht vor, diesen Betrag zu investieren, denn obwohl ich traditionell ausgebildete Internistin bin, arbeite ich vorwiegend mit sanften Methoden. Seit vielen Jahren habe ich mich in klassischer chinesischer Medizin weitergebildet. Ich war sogar ein halbes Jahr in Schanghai, um vor Ort Erfahrungen zu sammeln. Außerdem kann ich bei Bedarf meine Patienten zum Radiologen um die Ecke schicken.« Sie schluckte mehrmals. »Falls ich in absehbarer Zeit überhaupt zu eigenen Patienten komme.«

Sina ließ den Füller sinken.

»Fallenstein hat mir sehr wohl seine Schrottpraxis verkauft, nicht aber seine Kassenzulassung. Als ich vorgestern mit dem Praktizieren beginnen wollte, hat er mich geradezu überschwenglich als seine Assistentin begrüßt. In Wahrheit denkt er nämlich nicht ans Aufhören. Er hat nur eine gutwillige Idiotin wie mich gesucht, die ihn entlastet und in der Zwischenzeit sein Ruhestandskonto kräftig auspolstert.« Ihre Stimme war sehr leise geworden. »Ich hab mich erst einmal im Klo eingeschlossen und eine Runde geheult, dann Rita angerufen – und heute sitze ich hier bei Ihnen.«

Sina musterte sie freundlich, aber nicht ohne Strenge.

»Keine Minute zu früh, wie ich mal behaupten möchte. Als erstes brauche ich eine Kopie des Praxisübernahmevertrags, mit dem ich mich eingehend beschäftigen werde.«

Antonia Frisch reichte das Dokument, sorgsam in eine Klarsichthülle eingeschlagen, über den Tisch.

»Ich kann doch wohl davon ausgehen, daß Sie noch nicht die ganze Summe bezahlt haben? Kleiner Tip für die Zukunft: Bei Verhandlungen dieser Größenordnung empfiehlt es sich, anwaltliche Hilfe schon im Vorfeld in Anspruch zu nehmen, und nicht erst, wenn das Kind bereits im Graben liegt.«

»Sie haben natürlich recht«, erwiderte die Mandantin niedergeschlagen. »Ich hätte selber auf die Idee kommen müssen. Vielleicht habe ich es versäumt, weil ich unbedingt meine Selbständigkeit beweisen wollte. Unbewältigter Vaterkonflikt, so meine Eigendiagnose. Weil er mich niemals richtig ernstnehmen wollte. Bis heute nicht. Und alles, was ich beruflich anstelle, erst recht nicht. Für ihn ist chinesische Medizin nichts als modischer Firlefanz, ganz egal, welche Heilungserfolge ich damit habe. Sogar meine harten Jahre in der Pathologie hat er einfach mit einem Schulterzucken abgetan. Ich sollte endlich damit aufhören, ihm irgend etwas beweisen zu wollen. Ich weiß auch nicht, welcher Teufel mich da noch immer ...«

Sie verstummte. Zarte Röte überflutete ihr Gesicht, das auf einmal hübsch und sehr verletzlich aussah. Auf einmal wußte Sina, an wen die Besucherin sie schon die ganze Zeit erinnerte: an die junge Audrey Hepburn. Mit der richtigen Frisur hätte sie ein aparter, ganz und gar ungewöhnlicher Typ sein können, der bestens ankam, aber sie schien sich aus unerfindlichen Gründen nicht allzuviel um ihr Aussehen zu scheren.

»Pardon! Ich wollte Sie natürlich nicht ...«

Sina winkte ab. »Damit schlage ich mich schon so ziemlich mein ganzes Leben herum.« Sie zeigte ihr frechstes Grinsen. »Außerdem bin ich gern eine Teufelin – aus vollstem Herzen! Also, wieviel haben Sie dem alten Doc schon gegeben?«

»Hunderttausend bei Vertragsunterzeichnung. Den Rest sollte er nach meiner ersten Praxiswoche bekommen, das heißt nächsten Mittwoch.«

»Das werden Sie schön bleiben lassen!«

»Und was statt dessen tun?«

»Mit Bitten und Betteln kommen wir bei einem wie dem kaum weiter. Deshalb klagen wir auf Feststellung, daß Herr Doktor Leonhard Fallenstein mit sofortiger Wirkung auf seine Kassenzulassung zugunsten von Frau Doktor Antonia Frisch verzichtet. Denn schließlich geht es Ihnen ja um seinen Patientenstamm.«

»Und ob! Ohne die Kassenzulassung ist die ganze Praxis nichts wert.«

Sina erhob sich, streckte Antonia Frisch die Hand entgegen. »Wenn ich eins nicht leiden kann, dann Leute, die andere absichtlich über den Tisch ziehen – ganz egal, wie alt sie auch sein mögen. Betrachten Sie mich als eine Art Einzelkämpferin gegen die große Gleichgültigkeit. So jedenfalls verstehe *ich* meinen Beruf. Keine Angst, ich weiß, daß Sie es eilig haben.«

»Und in der Zwischenzeit?«

»In der Zwischenzeit vergessen Sie mal Ihre gute Kinderstube und sind richtig eklig zu dem alten Herrn. Skrupel?« Sie lachte, als sie Antonia Frischs entgeisterte Miene sah. »Brauchen Sie nicht zu haben! Ist aber typisch weiblich, würde ich mal behaupten. Mobbing vom Feinsten, verstehen Sie? So, wie es sich sonst nur Männer am Arbeitsplatz leisten. Damit er sich schon mal dran gewöhnen kann, was alles an Unannehmlichkeiten in Bälde auf ihn zukommen wird.«

✦

Es wurde Nachmittag, bis Hanne wieder den Kopf in Sinas Büro steckte. »Noch sauer?«

»Ach wo! War doch alles nur Spaß! Und du?«

Sinas Sozia machte eine unbestimmte Handbewegung. Ihr Kopf war leicht eingezogen, und sie ließ die Schultern hängen. Außerdem kam sie Sina blasser vor als gewöhnlich, was die rötlichen Sommersprossen, mit denen ihr Gesicht gesprenkelt war, buchstäblich zum Explodieren brachte.

»Jacky hat gerade zum drittenmal in mein Zimmer gepinkelt«, sagte sie. »Und natürlich mitten auf meinen wunderschönen alten Gabbeh. Aber ich behalte ihn trotzdem. Willst du auch wissen, weshalb? Einfach so. Ich hab nämlich, verdammt noch mal, keine Lust, ständig widerlich erwachsen und vernünftig zu sein.«

Sie klang trotzig wie ein Kind.

»Wozu eigentlich das Ganze? Auf einmal schaust du dich um und stellst fest, daß dein Leben schon so gut wie vorüber ist. Den schäbigen Rest, der dir noch bleibt, kannst du dann prima dazu verwenden, all die Dinge zu bedauern, die du *nicht* getan hast. Denn das ist es doch, worum wir letztlich weinen: die ganzen Abenteuer, zu denen uns der Mut gefehlt hat.«

»Ungelebtes Leben«, murmelte Sina gedankenverloren, »an dem man sterben kann.« Den Satz kannte sie von Lotte Fürst. Eine ihrer Maximen, gegen die Ottfrieds Gattin allerdings sehr erfolgreich angelebt hatte.

»Was hast du eben gesagt?«

»Nichts«, erwiderte Sina schnell. »Nur ein bißchen Rilke zitiert.« Für alle Fälle goß sie schon einmal in zwei Gläser fingerbreit Calvados. »Ärger mit Bill?« Sie formulierte bewußt vorsichtig, während sie die Flasche beiseite schob. »Die gute, alte Liebesfalle? Oder was hat er sonst wieder angestellt?«

Von draußen kam empörtes Bellen, aber jetzt kümmerte sich keine von beiden darum.

»Ach, Liebe!« erwiderte Hanne mit überraschender Bitterkeit und nahm einen tüchtigen Schluck. Sie wirkte aufgelöst, und die rötlichen Haare standen ihr wie elektrisiert zu Berge. »Bild dir bloß nicht ein, daß du auf einmal eine Expertin bist, nur weil du es zufällig einmal zwölf Monate mit ein und demselben Mann ausgehalten hast!«

»Was ist es dann?«

»Kapierst du nicht, Sina?«

Hanne war aufgestanden und mit ungeduldigen Schritten hinüber ans Fenster gegangen. Sie mußte in letzter Zeit einiges abgenommen haben. In der hellen Leinenhose mit dem breiten Ledergürtel wirkte ihre Taille fast zerbrechlich.

»Daß alles plötzlich so schnell geht. Nächste Woche werde ich fünfundvierzig. Fünfundvierzig – das mußt du dir mal auf der Zunge zergehen lassen! Noch vor wenigen Jahren habe ich es nicht einmal für möglich gehalten, daß ich überhaupt jemals so alt werden würde. Und wie sieht mein Leben aus? Keine Kinder, kein Ehemann, aber einen Chaoten als Lebensgefährten, den ich besser nicht allzu lange aus den Augen lassen sollte, tonnenweise graue Haare und was sonst? Akten, nichts als Akten!«

Sie kam dem Stapel auf Sinas Schreibtisch gefährlich nahe. »Das kann doch nicht alles gewesen sein, oder, Sina?«

»Was ist wirklich los, Hanne?« Sina begann, sich ernstlich Sorgen zu machen. Hannes Augen glänzten wie im Fieber, und da war ein neuer, bitterer Zug um den Mund, der ihr gar nicht gefiel. Irgend etwas war ganz und gar nicht in Ordnung, das spürte sie. Aus der früheren beruflichen Gemeinsamkeit war längst tiefe Freundschaft geworden, die die beiden so unterschiedlichen Frauen verband. »Du hast doch keine Geheimnisse vor mir?«

»Natürlich habe ich Geheimnisse vor dir!« trumpfte Hanne auf. »Und zwar jede beliebige Menge!«

Sina berührte sanft den Arm der Freundin, und im gleichen Moment zerfiel Hannes Gesicht.

»Ein Knoten«, sagte sie leise. »Ich hab einen Knoten gefunden. In meiner linken Brust.«

Fünf

Natürlich hatte ich schon nackte männliche Wesen gesehen, allen voran Riri, meinen Zwillingsbruder. Maman hielt nichts vom prüden Erziehungsstil ihrer Zeit, der ihr mehr als einmal schreckliche Peinlichkeiten im Schlafzimmer bereitet haben muß. Vielleicht hing sie gerade deshalb so an ihren reformerischen Thesen, einer krausen, aber äußerst individuellen Mischung aus Steinerschen Postulaten, einer halb verdauten Hommage an die Antike und fast schon radikalem Gesundheitsaposteltum. So damenhaft und – vor allem in männlicher Gesellschaft – beeindruckend diplomatisch sie auch sein konnte, darin zeigte sie sich unbeugsam. Mochten die anderen sagen, was sie wollten, sie war überzeugt, daß Kinder nicht nur Liebe, sondern vor allem auch Licht und Sonne brauchten.

So ließ sie uns beide bis über den Schuleintritt hinaus in unbekümmerter Nacktheit im Garten herumrennen. Vermutlich bereiteten ihr die mehrmals wöchentlich anberaumten Badeorgien mindestens so viel Spaß wie uns. Dabei steckte sie ihren Jungen und ihr Mädchen, von denen alle Welt behauptete, sie glichen sich wie ein Ei dem anderen, in die riesige Emaillewanne mit den geschwungenen Löwenpfoten als Füße und seifte sie von oben bis unten kräftig ab: zweimal lockiges, dunkelbraunes Haar, das uns in die Stirn und bis über die Ohren fiel und niemals wirklich gebändigt werden konnte, zweimal graue, schrägstehende Augen unter dichten Wimpern, zweimal schlanke, tiefbraun gebrannte Gliedmaßen, stets großzügig mit Heftpflastern übersät.

Aber es gab natürlich einen gravierenden Unterschied zwischen uns, den Riri und ich sehr wohl kannten und den zu bestaunen wir nicht müde wurden. Allerdings waren wir schon in jungen Jahren raffiniert oder dezent genug, damit zu warten, bis Maman endlich das Badezimmer verlassen hatte.

»Zeig mir deines!« forderte er, kaum daß sie die Türe hinter sich geschlossen hatte.

»Nein, erst du deines!«

»Das ist gemein!« protestierte er und versteckte sein vorwitziges Glied hinter der Hand. »Immer soll ich anfangen. Nur, weil ich dreizehn Minuten älter bin und zweieinhalb Zentimeter größer? Also komm schon, Rita! Worauf wartest du noch? Und außerdem ist deines viel, viel schöner.«

Wovon er unbeirrbar überzeugt war.

Wäre es nach ihm gegangen, er wäre lieber das Mädchen gewesen, das verrückt nach Spitzen war und schöne Kleider anziehen durfte. Und was mich betraf, ich hätte bis zu dem Sommer, in dem mich die Liebe zu Jean wie ein Blitz traf, nicht das geringste dagegen gehabt, als Junge durchzugehen.

Mit sechzehn Jahren badete ich natürlich allein, und die intimen Momente mit meinem Bruder gehörten längst vergangenen Tagen an. Mittlerweile wußte ich nicht nur genau, daß es zwei Geschlechter gab, die sich in Wesentlichem unterschieden, sondern auch, daß sie gerade deshalb auf nichts anderes aus waren, als sich miteinander zu verbinden. Vielleicht war ich deshalb so erpicht darauf, nackte Männer zu erspähen – erwachsene Männer wohlgemerkt, keine Halbwüchsigen wie Riri und seinen kleinen Freund Friedl, der seit Jahren zu uns in die Sommerfrische kam –, um herauszufinden, was ich anstellen mußte, um endlich selbst in den Genuß all dieser Verheißungen zu kommen.

Große Mühe mußte ich mir freilich nicht geben. Wir lebten auf dem Land, wo alles seinen natürlichen Gang nahm. Geburten und Hochzeiten gehörten auf dem Birkenhof ebenso zum Leben

60

wie Beerdigungen, und sowohl Knechte wie Mägde nahmen sich beim Heuen oder Keltern altbekannte Freiheiten heraus. Keiner schämte sich, bis in den Herbst hinein nackt im Weiher zu schwimmen, und sogar unser Bobo zog sich an warmen Sommerabenden ohne große Umschweife aus, um sich am Brunnen von Kopf bis Fuß zu waschen.

Papa allerdings bildete eine Ausnahme, und ich hätte nicht einmal gewagt, mir den ehrgeizigen Juristen Dr. Friedrich Bonhoff, der nur widerwillig zum Gutsherrn geworden war, ohne Kleider vorzustellen, so großen Respekt empfand ich vor ihm. Lange Zeit muß ich etwas davon auch auf seinen jüngeren Bruder übertragen haben, unbewußt, wie man bestimmte Familientraditionen eben übernimmt, ohne lange nachzudenken. Denn Jean war immerhin fast zwanzig Jahre jünger als Papa, so daß ich ihn, seitdem ich denken konnte, niemals als meinen Onkel gesehen hatte. Dafür war er doch viel zu jung, viel zu unbekümmert, viel zu außergewöhnlich!

Und erst recht zu attraktiv.

Ein Zauberwesen. Ein Ritter aus einer anderen Galaxie, den es nur zufällig hierher auf die Erde verschlagen hatte.

Frauen wandten instinktiv den Kopf nach ihm, sobald er einen Raum betrat, nur um anschließend lauter und eine Spur schriller weiterzusprechen, in der Hoffnung, er möge sie bemerken. Männer dagegen bekamen in seiner Gegenwart jenen gehetzten, unterschwellig aggressiven Blick, der stets die allerbeste Gewähr dafür ist, daß sich ein gefährlicher Rivale in der Nähe befindet. Was war Jean aber auch für eine glanzvolle Erscheinung! Stets tadellos gekleidet, in maßgeschneiderten Anzügen – dunkel im Winter, hell, wenn es heiß wurde –, die seinen durchtrainierten Körper bestens zur Geltung brachten. Mochte er beruflich kaum Erfolge aufweisen, mochte seine politische Karriere schon vorbei sein, bevor sie richtig begonnen hatte – mit seinem Charme, seinem Esprit und vor allem seiner spöttischen Melancholie erober-

te er alle Herzen im Sturm, und es gab mehr als eine kritische Stimme in der sogenannten feineren Gesellschaft, die sich lauthals darüber ausließ, warum ein Mann wie er sich ausgerechnet mit der farblosen Gräfin Rehbinder verlobt hatte.

Ich scherte mich nicht darum. Für mich war Amelie nicht viel mehr als eine Art Möbelstück, das auf unerfindliche Weise schon seit jeher zur Familie gehörte und deshalb kein Grübeln erforderlich machte. Zumindest war es immer so gewesen. Bis zu eben jenem Sommer.

Eigentlich mehr ein Zufall, daß ich nach der kleinen Siesta, zu der Maman jeden im Haus mit sanftem Zwang nötigte, ausgerechnet in jenem Moment zum Weiher kam, als Jean langsam ans Ufer watete. Ich blieb stehen, wo ich war, im Schutz einer alten Linde, und starrte ihn an. Irgendwie hatte ich vergessen, daß er überaus kurzsichtig war und nur aus purer Eitelkeit auf eine Brille verzichtete. Also war ich fest davon überzeugt, er habe mich gesehen und komme mir lächelnd entgegen.

Keiner in unserer Familie war blond. Alle hatten wir dichte, braune Schöpfe, wenngleich Mamans Locken in der Sonne einen warmen Kupferton zeigten und Papas stets tadellos gescheiteltes Haar von Jahr zu Jahr mehr silberne Strähnen bekam. Wir, die Zwillinge, waren die dunkelsten von allen, »meine Mohren«, wie Maman uns lächelnd neckte.

Jean aber war hell, nicht nur auf dem Kopf, sondern, wie ich mich nun mit eigenen Augen überzeugen konnte, am ganzen Körper. Auf seiner Brust kräuselte sich ein rötliches Fell, das in der Sonne schimmerte, und seine sommersprossigen Schultern wirkten auf einmal um vieles breiter als in dem feinen englischen Tuch, das sie sonst verhüllte. Seine Hüften erschienen mir köstlich schmal; die dichtbehaarten Schenkel waren schlank wie auch die Fesseln, mit denen selbst eine kokette Frau hätte prahlen können.

Aber das war noch lange nicht alles.

Sein Penis, ein paar Nuancen dunkler als der Rest des Kör-
pers, entsprang einem üppigen Gewirr goldener Schamhaare
und war alles andere als klein und schrumpelig, wie ich es seit
jeher von Riri kannte, wenn er zu lange im kalten Wasser ge-
schwommen war. Und plötzlich konnte ich nirgendwo anders
mehr hinsehen.

Sein Lächeln wurde strahlender, als er näherkam, ja beinahe
schmelzend, und eine nie zuvor gekannte Seligkeit begann, sich
in meiner Brust auszubreiten. So sahen die Helden meiner Sa-
gen aus, so die Prinzen, die unerschrockenen Drachentöter und
Jungfrauenretter, die ich mir stets erträumt hatte.

Aber jetzt war die Kindheit vorbei, definitiv und unwiederbring-
lich, das wußte ich mit einem Mal. Ich hatte das Gefühl, end-
lich erwacht und in einem anderen Leben angekommen zu sein,
das mich an das zurückliegende nur schwach erinnerte.

Ich war erwachsen. Eine Frau. Fast wie Maman.

Fast?

Wieso eigentlich nur fast?

Es gab ein winziges Handicap, das mich davon trennte, und
wenn ich ehrlich war, war es mir noch niemals gelungen, seine
angeblich zwingende Notwendigkeit einzusehen, von der alle so
großes Aufhebens machten. In diesem Lidschlag der Ewigkeit be-
schloß ich, mein lästiges Jungfernhäutchen so bald wie möglich
loszuwerden. Denn dieser herrlichste aller Männer, kein Papier-
wesen, sondern atmende Glut, schien einzig und allein dazu
dem Wasser zu entsteigen, um mir dabei behilflich zu sein.

Plötzlich jedoch verzerrte sich sein Mund. Jede Farbe wich aus
seinem Gesicht.

»Ach, du bist es, Rita!«

Ich hatte keine Erklärung dafür, warum seine Stimme so flach,
so unsäglich enttäuscht klang.

»Ja, ich«, erwiderte ich stockend.

Was hatte ich nur getan, womit ihn gekränkt?

»Und ich dachte einen Augenblick lang …«

Jean verstummte, und er, ein Vorbild an Eleganz und Selbstsicherheit, wußte auf einmal nicht, wohin mit den Händen. Seine Schultern sackten nach unten, wie die Flügel eines Engels, dem die Last auf einmal zu schwer wird.

»Meine Sachen liegen ein Stück weiter oben …« fuhr er nach einer Weile ziemlich zusammenhanglos fort, als sei er zerstreut oder verwirrt. »Weißt du, ich konnte ja nicht ahnen, daß ich jemandem begegnen würde, und schon gar nicht dir … Tut mir wirklich leid, mein Mädchen, aber es war heute nachmittag so heiß, daß ich einfach schwimmen gehen mußte …«

Er ließ mich stehen, drehte sich wortlos um und suchte das Weite.

Eine Flucht, dachte ich verblüfft, während ich auf seinen muskulösen Rücken starrte und auf die festen, hochangesetzten Hinterbacken, die mich an die Statuen griechischer Athleten erinnerten, welche ich am liebsten zusammen mit Riri in Papas weggeschlossenen Kunstbänden betrachtete. Er läuft um sein Leben. Oder seine Seele.

Aber was war der wirkliche Grund, weshalb er so schnell von mir davonrannte?

✦

Es sollte dauern, bis ich endlich auf die naheliegende Lösung verfiel, die, wie ich heute überzeugt bin, all die Katastrophen in Gang setzte. Und dann schämte ich mich natürlich, daß ich so lange dafür gebraucht hatte. Denn obwohl wir beide nahezu gleich groß waren, seit meinen Kopfläusen, denen ich schon vor vielen Jahren den unpraktischen Zopf geopfert hatte, eine ähnliche Frisur trugen und an heißen Sommertagen am liebsten in weiten Männerhemden und Papas alten Leinenhosen herumliefen, so war und blieb ich doch Henriette, das Mädchen.

Und nicht Richard, der Junge.

Sechs

Hohes Gericht, Herr Staatsanwalt« – eine elegante Drehung in Richtung Glatzkopf Dr. Helfried Nimsgern mit der weißen Fliege und dem geradezu anrührend räudigen Oberlippenbärtchen, das er unablässig mit seinen knochigen Fingern malträtierte –, »ich weiß nicht, in welcher Verhandlung Sie heute waren, aber eines steht fest: Sie müssen in einer ganz anderen gewesen sein als ich. Drei Gründe möchte ich Ihnen aufführen, warum eine Verurteilung nicht möglich ist: Der Tatbestand der Baugefährdung, der hier meiner Mandantin vorgeworfen wird, setzt voraus, daß anerkannte Regeln der Technik verletzt worden sein müssen. Die Staatsanwaltschaft konnte allerdings keine einzige dieser Vorschriften zitieren, so daß eine Verurteilung bereits am objektiven Tatbestand scheitern muß. Aber auch der subjektive Tatbestand ...«

Ihre Stimme war weg!

Ohne jede Vorwarnung. Dafür vollständig.

Sina V. Teufel räusperte sich zweimal mit langsam aufsteigender Panik, gegen die sie nur mühsam ankämpfen konnte, aber sie brachte keinen einzigen Ton mehr heraus.

Glücklicherweise funktionierte wenigstens ihr Gehirn so klar wie gewohnt. Sie befand sich in einer Berufungsverhandlung vor dem Landgericht München I, die beide Seiten unabhängig voneinander angestrengt hatten. Die Staatsanwaltschaft, weil es ihr um ein höheres Strafmaß ging; sie, weil sie Freispruch für ihre Mandantin erreichen wollte.

Der Vorsitzende der Kleinen Strafkammer, Vorsitzender Richter am Landgericht Willibald Keese, schien bereits Schlimmes zu befürchten. »Was ist mit Ihnen, Frau Verteidigerin? Sind Sie plötzlich unpäßlich?«

Das klang ja beinahe, als wolle er ihr im nächsten Moment das Fläschchen mit dem Riechsalz reichen! Sein Ton verriet nicht nur seinen Mißmut, sondern auch was er von Frauen im Gerichtssaal grundsätzlich hielt. Zumal von renitenten Anwältinnen, die ständig widersprachen und damit das Prozedere – in seinen Augen vollkommen unnötig – hinzogen.

Sina zog die Schultern hoch, ließ sie wieder fallen und deutete hilflos auf ihren Hals. Die beiden Schöffen, eine desinteressierte Hausfrau in mittleren Jahren, die wirkte, als sei ihr mehr am heimischen Strickzeug gelegen als daran, zur Wahrheitsfindung beizutragen, sowie ein ältlicher Besserwisser, den man sich ohne Schwierigkeit als Oberinspektor einer gänzlich überflüssigen Behörde hätte vorstellen können, starrten sie neugierig an.

»Sie können nicht mehr sprechen? Ist es das?«

Da hatte Keese zum erstenmal in der gesamten Verhandlung exakt den Punkt getroffen.

Die schlanke Blondine vor ihr auf der Anklagebank drehte sich besorgt zu ihr um. Senta Mohnhaus-Gleibert war die netteste, aber auch die naivste der drei Architektinnen der Firma Megaron, die schon seit Gründungstagen von der Rechtsanwältin Teufel betreut wurden. Ausgerechnet ihr war das Malheur mit dem umgestürzten Baugerüst angelastet worden, das beträchtlichen Sachschaden angerichtet hatte. Personen war zum Glück nichts zugestoßen. Allerdings nur um Haaresbreite. Einer der spanischen Bauarbeiter war gerade noch geistesgegenwärtig genug gewesen, um sich durch einen kühnen Satz vor herabstürzenden

Teilen in Sicherheit zu bringen. In der ersten Instanz hatten sie zwar Prügel vom Amtsrichter bezogen, nun aber standen nach dem neuerlichen Gutachten eines zweiten Sachverständigen und der Einvernahme von sieben Zeugen ihre Aktien ganz gut. Vorausgesetzt allerdings, Dr. V. Sina Teufel hätte das gepfefferte Plädoyer auch halten können, das sie sich zurechtgelegt hatte.

»Kann ich Ihnen irgendwie helfen, Frau Teufel?«

Abermals Achselzucken, viel mehr fiel Sina nicht ein. Um Zeit zu gewinnen, zupfte sie an ihrem schwarzen Mäntelchen. Ein Anwalt ohne Robe galt vor Gericht als nicht erschienen. Solche Merkwürdigkeiten konnten nur einem reformbedürftigen Strafsystem entspringen. Ob sie nicht doch Mitglied bei der Vereinigung linker Strafverteidiger werden sollte, wozu Laszlo, der seit Jahren dabei war, sie seit längerem drängte? Allerdings war sie vorwiegend mit zivilrechtlichen Fällen beschäftigt, aber allein die romantisch gelegenen Tagungsorte, an denen man sich einmal im Jahr traf, ließen in Sinas momentanen Verfassung solche Überlegungen durchaus erwägenswert erscheinen.

»Meinen Sie, daß Sie morgen wieder gesund sind?« Keese schien entschlossen, nicht aufzugeben.

Was für eine Frage! Wie sollte sie das wissen, wenn sie keine Ahnung hatte, was ihr plötzlich fehlte?

Wiederum blieb ihr nur eine vage Geste.

Der Vorsitzende wurde immer mürrischer. Nachdem er sich kurz mit den beiden Schöffen besprochen hatte, was allerdings eher so aussah, als habe er ihnen einen Befehl erteilt, verkündete er folgenden Beschluß: »Die Verhandlung wird nach Paragraph 328 StPO unterbrochen. Wir setzen sie am kommenden Mittwoch um elf Uhr mit dem Schlußvortrag der Verteidigung fort.« Sein Blick glitt zu Sina, strafend, fast schon beleidigt. »Sie teilen dem Gericht vorsorglich mit, wann Sie wieder auf dem Damm sind. Ich hoffe doch sehr, daß wir den Prozeß innerhalb von elf Tagen, der gesetzlich zulässigen Unterbrechungsdauer, weiterführen können.« Er räusperte sich gequält, als sei sein eigener Schlund ebenfalls bedroht. »Denn Ihnen dürfte ja klar sein, daß wir anderenfalls die gesamte Beweisaufnahme wiederholen müßten.«

Sina verzog keine Miene. Selbstverständlichkeiten mußte man, fand sie, nicht eigens erwähnen. Schon gar nicht im Gerichtssaal.

»Und Sie«, jetzt sprach Keese die Angeklagte an, »erhalten keine gesonderte Ladung für den neuen Termin. Wir fordern Sie allerdings auf, pünktlich zu erscheinen. Anderenfalls müßten Sie mit Ihrer zwangsweisen Vorführung rechnen.«

Nach einer stummen Verabschiedung der Mandantin verließ Sina eiligst das abscheulich grün gestrichene Strafjustizzentrum an der Nymphenburgerstraße. Im Autospiegel wollte sie sich vergewissern, was eigentlich los war. Der Rachen kam ihr gerötet vor, die Zunge leicht belegt. Mehr ließ sich beim besten Willen nicht feststellen. Fast schon automatisch griff sie zum Handy und ließ es nur allzu schnell mit einem schiefen Lächeln wieder sinken. Auf diese praktische Form der Kommunikation mußte sie wohl bis auf weiteres verzichten.

Es blieb ihr nichts anderes übrig, als zur Kanzlei zu fahren, um Hanne vor Ort zu informieren. Sie tat es beileibe nicht nur, um den reibungslosen Ablauf des Büroalltags zu garantieren. Seitdem sie von der Existenz des Knotens erfahren hatte, machte sie sich große Sorgen um ihre Freundin und Sozia. Mochte Hanne Bromberger sich auch noch so bärbeißig geben, im Grunde ihrer Seele war sie äußerst empfindsam. Kaum etwas fiel ihr schwerer, als ihr Innerstes nach außen zu kehren und sich jemandem anzuvertrauen. Und scheinbar schien sie bereits zu bereuen, daß sie Sina überhaupt eingeweiht hatte. Denn seit dem Geständnis igelte sie sich von Tag zu Tag mehr ein. Sina konnte allenfalls erahnen, wie ihr wirklich zumute war. Um so wichtiger erschien es ihr, Hanne aus der seltsamen Versteinerung zu lösen. Nicht ganz einfach allerdings, beim bekannten Sturkopf ihrer Sozia, zumal jetzt, nachdem sie nicht einmal mehr mit ihr reden konnte.

Zu ihrer Verwunderung war Hannes Schreibtisch verwaist. Und im Sekretariat saß einzig und allein Anke Frey, die fröhlich ein Band abtippte. Allerdings nicht schwarzgelockt, wie gewohnt, sondern mit einem aufregenden, leuchtendblauen Schopf.

Kann auf einmal nicht mehr sprechen, kritzelte Sina auf einen Zettel. *Wo steckt Hanne?*

Anke ließ die blauen Strähnen fliegen. »Keine Ahnung. Ist vor ungefähr einer Stunde mit Jacky rausgestürzt wie ein geölter Blitz. Ich weiß nicht einmal, ob sie heute noch wiederkommt.« Neugierig beäugte sie Sina. »Und du kannst wirklich nicht mehr reden? Klingt ja geil gefährlich.«

Ob Hanne sich einen Ruck gegeben hatte und endlich doch zum Arzt gegangen war? Für einen Moment fühlte Sina beinahe so etwas wie Erleichterung. Dann kamen die Alltagssorgen wieder zurück.

Und der Rest des Sekretariats?

Nicht, daß ihr Friederikes Tochter nicht genügt hätte. Sie kannte die Fähigkeiten der jungen Anwaltsgehilfin und war mehr als froh, daß Anke nach der Babypause wieder regelmäßig bei ihnen arbeitete. Aber der plötzliche Personalschwund im Sekretariat, kaum daß die beiden Anwältinnen einmal den Fuß vor die Tür gesetzt hatten, stimmte sie doch nachdenklich.

»Tilly mußte dringend zum Friseur, weil ihr John sie abends unbedingt auf ein tolles irisches Happening mitschleppen will, folkloremäßig und so, und Marina hat doch heute ihren Elternsprechtag. Schon vergessen? Mach bloß kein so finsteres Gesicht, Sina! Bei dem Spitzenwetter ist bei uns sowieso tote Hose – ehrlich! Die Klienten vergnügen sich alle im Biergarten, und das bißchen Telefon nebenbei schaff ich doch mit links!«

Wenn sie ihren Mund verzog wie eben, sah sie ihrer Mutter so ähnlich, daß Sina unwillkürlich lächeln mußte, obwohl sich im gleichen Moment ihr Herz schmerzlich zusammenzog: gewitterblaue Augen, Pharaonenhinterkopf, Kinngrübchen – eindeutig Friederikes Erbe. Glücklicherweise schien Anke entschlossen, ihr Leben anders und besser zu meistern. Wenngleich sie mit Lebensgefährten Niko nicht unbedingt das große Los gezogen hatte, so hatte sie die Geburt einer kleinen Tochter doch verantwortungsbewußt und erstaunlich erwachsen gemacht. Was allerdings nicht hieß, daß sie ihre Vorliebe für heiße Technonächte gänzlich aufgegeben hätte, eine Leidenschaft, mit der sie Niko zur Weißglut treiben konnte. Die frisch gebläuten Haare sprachen eine eindeutige Sprache.

Tolle Haarfarbe! Steht dir umwerfend.

Anke lächelte geschmeichelt. »*Crazy colours*«, sagte sie. »*Bahama blue,* wenn du es ganz genau wissen willst. Nur was für Leute, die echt Mut haben, hat mein schwuler Friseur gesagt. Und der muß es wissen, so ausgeflippt wie der rumläuft.« Dann wurde ihr Gesicht wieder ernst. »Und du machst jetzt, daß du dich in heilende Hände begibst, und zwar *subito!* Mit solchen Dingen soll man nicht spaßen. Stell dir nur mal vor, das bleibt dir!« Sie konnte mindestens so unschuldig-gerissen dreinschauen wie Emma, ihre kleine Tochter, die vor einiger Zeit zwei geworden war. »Dann müßtest du nicht nur von heute auf morgen deinen geliebten Job an den Nagel hängen, sondern du könntest auch uns niemals mehr wieder so richtig anbellen – welch megageniale Aussicht!«

✦

»Und du darfst tatsächlich drei geschlagene Tage nicht mehr reden?« Er schien es gar nicht oft genug hören zu können. »Hat der Arzt das wirklich gesagt?«

Mindestens, schrieb Sina. *Stimmbandentzündung. Damit ist nicht zu spaßen. Kann auch länger dauern, wenn ich Pech habe.*

Allein die Vorstellung schien Carlo van Rees so zu amüsieren, daß er auf einmal wie ein leicht in die Jahre gekommener Faun aussah. Seine hellen Augen blitzten, und der silberne Dreitagebart, mit dem er seit ein paar Wochen immer wieder experimentierte, ließ ihn erst recht vorwitzig, ja fast ein bißchen verwegen aussehen.

»Also mal keine Worte als Waffen, Sina, wie es dir sonst immer wieder passieren kann! Das kleine Schiefertäfelchen, das du dir für deine neuartige Kommunikationsform mit der Umwelt gekauft hast, finde ich übrigens ganz besonders reizend. Erinnert mich an die ersten Jahre meiner Schulzeit, als ich rettungslos in meine Lehrerin verknallt war. Das schöne Fräulein Müller mit schwarzem Dutt, wogendem Busen und Dirndlkleidern – mein Lebtag werde ich sie nicht vergessen! Darf ich auch einmal?«

Kindskopf, dachte Sina, *alter, lieber, unmöglicher Kindskopf!* und streckte ihm die Tafel entgegen.

Sie saßen in einem winzigen, gemütlichen Lokal im Gärtnerplatzviertel, das der passionierte Gourmet Carlo erst vor kurzem entdeckt hatte, und auf dessen abwechslungsreiche Küche er seitdem schwor.

»Wer in aller Welt hat denn das Gerücht ausgestreut, man

könne nur in einem italienischen Restaurant gut speisen? Oft werden dir gerade dort Pasta, Fisch, Wein und Kaffee mit einer Mißmutigkeit auf den Tisch gedonnert, daß einem fast der Atem stockt!«

Sina zog die Brauen hoch wie immer, wenn Carlo maßlos zu übertreiben begann. Inzwischen begann sie sich bereits wohl zu fühlen, obwohl ihr heute abend zunächst ganz und gar nicht nach Ausgehen zumute gewesen war. Protest wäre ohnehin sinnlos gewesen. Ihr alter Freund schien von Anfang an entschlossen, selbst die triftigste Ausrede wegzufegen.

»Papperlapapp!« trompetete er, als sie ihn notgedrungen schriftlich von ihrer Sprachlosigkeit informierte. »Das ist doch keine ansteckende Krankheit! Vielleicht *willst* du dich uns im Moment gar nicht mitteilen, hast du daran schon mal gedacht? Eine Art psychische Verweigerung, ausgetragen auf organischer Ebene, weil dir zur Zeit alles ein bißchen zuviel sein könnte?«

Dümmlicher Psychologenquatsch! schrieb sie.

»Menschen mit Stimmproblemen strengen sich in der Regel zu sehr an. Das weiß man längst«, dozierte er ungerührt weiter. »Sie geben zu viel Druck auf die Stimme, um sich auf diese Weise durchzusetzen, typischer Ausdruck unserer Zeit, wo alles durch Leistungsdruck machbar erscheint. Was bei der Stimme nun mal leider nicht funktioniert.«

Soll ich gehen?

»Untersteh dich! Jetzt, wo ich wenigstens mal ungehindert zu Wort komme. Ist ja sonst nicht einfach bei dir.«

Ist irgendwie schon komisch, plötzlich so stumm zu sein, schrieb sie. *Fast wie die kleine Seejungfrau, die ihre Zunge opfern mußte, um Mensch zu werden. Sollte mir auf Dauer was einfallen lassen, um die ollen Bänder zu kräftigen. Weißt du was darüber?*

»Allerdings.« Carlo begann zu strahlen. »Ich finde, du solltest als erstes deinen verwitweten Kammersänger befragen, den, der soviel Ärger mit seinem Filius hat.«

Fürst? Wozu?

»Nun, der wohnt doch schon seit einiger Zeit in diesem Domizil für ausrangierte, pardon: pensionierte Künstler, oder? Da wird sich sicherlich ein Schauspieler finden lassen, der Lust auf ein bißchen Extrataschengeld hat, meinst du nicht?«

Verstehe immer noch nicht.

»Sprechunterricht, Sina, was sonst? Kann dir sicherlich für deine weitere Anwältinnenkarriere nicht schaden. Und von alten Profis erfährt man erfahrungsgemäß die allerbesten Tricks. Das war schon immer so.«

Rustikale Holzdielen, geschmackvolle Fliesen, junge Kunst an den weißgetünchten Wänden, helles, aber nicht aufdringlich weißes Licht. Die phantastischen Kürbisravioli mit Salbeibutter hatten die beiden bereits genußvoll verzehrt; jetzt warteten sie auf den zweiten Gang, Perlhuhn auf toskanische Art, zu dem Carlo gleich anfangs einen bestimmten Wein bestellt hatte.

»Sollen wir uns heute einmal etwas Besonderes gönnen, meine stumme Schöne? Du wirst Augen machen, wenn du diesen Tropfen kennenlernst!«

Hundertdreißig Mark – alter Verschwender!

»Und wenn schon! Na ja, direkt vom Weingut ist er schon ein paar Mark billiger. Woher ich das weiß? Ich hab noch ein knappes halbes Dutzend davon zu Hause. Aber die heb ich uns für ganz besondere Anlässe auf. Falls du doch noch mal Mutter wirst – bei dir muß man ja schließlich mit allem rechnen – oder deinen Herrn Schreck ehelichst, beispielsweise. Sina Teufel-Schreck, hast du dir das mal ernsthaft überlegt? Klingt doch geradezu zum Küssen!«

Sie hatte unter dem Tisch kräftig nach ihm getreten.

Er begann erwartungsvoll zu lächeln, als die vollbusige Bedienung nun die Karaffe an den Tisch brachte.

»Nein, lassen Sie bitte, ich übernehme das Einschenken!« Carlo goß ein, probierte und schloß dabei genießerisch die Augen. Jetzt war es Sina, die ihn amüsiert beobachtete. Es gab niemanden, der Essen und Trinken so zelebrieren konnte wie er. Es hatte durchaus Zeiten in ihrem Leben gegeben, da sie diese Begabung Carlos vor bösen Abstürzen gerettet hatte. Aber jetzt schien ihn etwas zu irritieren.

Er trank noch einmal, schob das Glas kopfschüttelnd weg.

»Komisch«, murmelte er, »den hab ich aber ganz anders in Erinnerung.«

»Ist etwas nicht in Ordnung?« Die junge, freundliche Kellnerin stand schon neben ihrem Tisch. Aber jetzt schaffte es nicht einmal ihr enges Mieder, Carlo abzulenken.

»Der Wein«, sagte er stirnrunzelnd. »Sagen Sie, haben Sie auch wirklich sorgfältig dekantiert?«

»Natürlich.« Selbst jetzt blieb sie freundlich wie bisher. »Gleich nach Ihrer Bestellung. Genügend Luft zum Atmen müßte er gehabt haben. Sie sind übrigens der erste, der sich beschwert.«

»Und nach dem Anliefern ruhen lassen?« bohrte er weiter.

»Natürlich.«

»Kann ich dann bitte mal die Flasche haben?«

»Aber selbstverständlich.«

Er setzte seine Brille auf und studierte eingehend das Etikett.

»Tignanello, Jahrgang 1993, Weingut Antinori. Hier ist das goldene Wappen und unten die stilisierte Sonne. Stimmt alles. Aber er schmeckt trotzdem nicht, wie er sollte. Ganz und gar nicht.«

»Kann ich Ihnen etwas anderes bringen, wenn Sie nicht zufrieden sind?«

»Nein, schon gut, lassen Sie nur! Ich möchte noch ein bißchen über diesen Roten hier nachgrübeln. Das kann doch eigentlich gar nicht sein!«

Ist doch ganz okay. Sina hatte inzwischen ebenfalls gekostet.

»Okay, okay«, fauchte er zurück. »Dieser Tropfen ist normalerweise ein Erlebnis, ein Gedicht, falls man poetisch werden möchte. Was bei diesem Wein keine Übertreibung wäre: seidig, vollmundig, beinahe schmusig im Mund. Unverkennbares Bukett von Amarenakirschen und Gewürznoten wie Zimt, Vanille und Lebkuchen. Bleibt am Gaumen hängen, als ob er vergessen hätte, sich zu verabschieden.«

So schmeckt der aber nicht.

»Sag ich doch. Ich hab schon ein paar schreckliche Minuten lang befürchtet, all meine kostspieligen Lehrversuche mit dir in Spitzenrestaurants wären ganz und gar für die Katz gewesen.«

Er war verschnupft und machte kein Hehl daraus. Mochten die Perlhühner auch noch so zart gebraten, mochte die Sauce noch so raffiniert sein, Carlo war nicht mehr umzustimmen. Er verzichtete sogar auf einen Nachtisch und begnügte sich mit einem doppelten Espresso.

»Daß man sich auf so gar nichts mehr verlassen kann!« klagte er. »Aber der Sache gehe ich nach, das garantiere ich dir! He, was ist los, *bella Signora Sina*? Gelangweilt? Entnervt? Oder etwa mit den Gedanken schon wieder mal in Berlin?«

Nur müde. Ganz schön anstrengend, so stumm.

»Wenigstens besitzt du Anstand genug, dir für deinen alten Freund eine nette Ausrede einfallen zu lassen. Willst du jetzt eigentlich zum Sprechunterricht gehen? Du wirst sehen, das macht dir Spaß! Und hilft.«

Alte Nervensäge.

»Du gehst also?«

Nicht einmal lauthals stöhnen konnte sie! Aber eine Abreibung hatte er verdient.

Früher konnten Frauen nur gerissen oder unterwürfig sein, kritzelte sie auf die Tafel.

Carlo runzelte fragend die Stirn.

Sie bemühte sich, halbwegs leserlich zu schreiben: *Diese Zeiten sind allerdings längst vorbei. Auch schon gemerkt, Carlo?*

Sieben

Es roch nicht unangenehm im Flur, und auch das Licht aus versenkten Halogenleuchten, die Sina entfernt an einen Sternenhimmel erinnerten, war hell und freundlich. Überall standen Topfpflanzen in bunten Keramiktrögen; zwischen den einzelnen Türen mit ihren Namensschildern und Messingklingeln hatte man ab und zu bequeme Sitzbänke zum Ausruhen und Kommunizieren plaziert. Sie blieben freilich meistens unbenutzt, weil die Bewohner es vorzogen, sich in ihre kleinen Wohneinheiten zurückzuziehen, als wäre das Private das einzige, was sie noch ertrugen. Vielleicht lag deshalb über allem ein Hauch von Verlassenheit.

Sina Teufel rang mit der leisen Beklemmung, die sie bei ihren Besuchen hier unweigerlich zu überfallen drohte.

»Letzter Halt«, so hatte Lotte Fürst es stets genannt, die bis zuletzt ihrer weiträumigen Altbauwohnung gleich neben »Feinkost Käfer« in der Schumannstraße nachtrauerte, die sie mit ihrem Ottl über dreißig Jahre bewohnt hatte, weshalb sie im Oskar-Maria-Graf-Domizil trotz aller Bemühungen niemals richtig heimisch geworden war. »Da darf man sich nichts vormachen. Wir sind hier lediglich zwischengelagert, bis der große Schnitter uns abholt.«

Sina kamen diese lakonischen Bemerkungen wieder in den Sinn, als sie hinauf zum zweiten Stock stieg.

»Plötzlich ist alles anders. Sinnlos auf einmal, ein neues Kleid oder ein paar Winterstiefel zu kaufen. Ebenso sinnlos auch, sich noch für die Führung im Dom anzumelden oder sein Schulfranzösisch auffrischen zu wollen. Gute Vorsätze? Alles für die Katz! Es gibt ohnehin keine Erneuerung mehr. Nur noch Hinfälligkeit. Und schließlich den Tod.« Ihr Ton war beinahe sehnsüchtig geworden. »Dabei erscheint uns die Erde immer schöner, je näher wir dem Himmel kommen. Bißchen spät, finden Sie nicht?«

»Aber doch nicht für Sie, Frau Fürst!«

»Nein.« Lottes perlendes Lachen, mit dem sie früher die musikalischen Salons in ganz Europa entzückt hatte. »Sie haben natürlich recht. Ich sollte mich wirklich nicht beklagen. Denn was mich betrifft, so habe ich schon zu Lebzeiten gern und ausgiebig gelebt.«

Unterwegs traf Sina den mageren, weißhaarigen Mann, der einer von Lotte Fürsts wenigen Trauergästen gewesen war. Er stammte aus Pankow, nicht aus Berlin, wie zu betonen er nicht müde wurde: Eugen Tobias Krumm, Geologe, Anthropologe und in späteren Jahren Verfasser zahlreicher Abenteuerromane, die jetzt in irgendwelchen Antiquariaten verstaubten. Wenn sie sich recht erinnerte, war er in den vierziger Jahren sogar im Einbaum den Orinoko hinuntergefahren. Sina hatte ihn in einer Erbschaftsangelegenheit beraten, so gut wie umsonst, weil sie um seine bedrängte finanzielle Lage wußte, und er zeigte ihr bis heute seine Dankbarkeit.

Eigentlich ein Mann ohne Alter, mit faltigem, wenngleich jung gebliebenem Gesicht und feingliedrigen Händen, die in ständiger Bewegung waren. Er lächelte verschmitzt wie ein Gassenjunge, als er sie erblickte.

»Die schöne Frau Doktor! Ja, da freue ich mich aber. Sie wollen doch nicht etwa zu mir?«

»Heute nicht. Ich bin auf dem Weg zu Herrn Fürst.«

Sie konnte wieder sprechen, einigermaßen wenigstens, aber ihre Stimme war noch immer spröde und tief. Wie auf ein Stichwort bog gerade der Schatten des Schriftstellers um die Ecke, Walter Klier, ein Schauspieler, der seine größten Erfolge in Frauenkleidern gefeiert hatte. Auch heute war er in bühnenreifer Aufmachung, einem nachtblauen, plissierten Georgettekleid, aus dessen gewagtem Ausschnitt wie eine stämmige Blüte sein Hals mit dem doppelten Kinn wuchs. Er lächelte und schwenkte seine perfekt manikürte Hand.

»Ach, wie schade!« sagte Krumm. »Denn da werden Sie wenig Glück haben. Der gute Ottfried ist … na, wie soll ich es ausdrücken? Viel unterwegs in letzter Zeit.«

»Ja, das ist er tatsächlich!« echote Wally. Walter Klier hatte Sina sehr bald anvertraut, daß er am liebsten mit diesem Spitznamen angeredet wurde.

Eugen Krumm schnalzte währenddessen leise mit der Zunge. Seine Lippen wurden schmal, und er begann nervös hin und her zu wippen. Er trug weiche, hellgelbe Mokassins mit einer grotesk gezackten Öffnung für entzündete Ballen. Erst, als er Sina bei seinen unruhigen Bewegungen näher kam, bemerkte sie den feinen Modergeruch, der seinen Kleidern entströmte.

»Manchmal könnte ich richtig neidisch auf ihn werden«, sagte er. »Dabei hat man es als Mann in diesem Etablissement gar nicht so schlecht. Glauben Sie bloß nicht, daß sich hier keine Gelegenheiten bieten! Na, Sie wissen schon, wozu.« Er begann sich genießerisch die Lippen zu lecken.

Sina wich unmerklich zurück und schüttelte den Kopf.

Vieldeutiges Zwinkern von Krumm. Wally schloß sich an.

»Die Tante dort drüben beispielsweise, die ist schon mal garantiert kein Kind von Traurigkeit, das kann ich Ihnen verraten!« Krumms knochiger Finger wies auf eine Tür, die mit seltsam verschlungenen roten Linien bemalt war.

»Gundis Wagner heißt sie. Und früher war sie Malerin. Pfade zum Herzen, ulkig, was? Damit keiner sich verläuft. Leider alles andere als billig. Das ist der Haken daran. Denn wer von uns hier kann sich das auf Dauer schon leisten?«

»Die traut sich wenigstens was«, sagte Wally neiderfüllt.

»Macht ohne großes Pipapo, wozu sie Lust hat. Aber es war halt schon immer leichter, mit dem Strom zu schwimmen.«

Sina, die gar nicht wissen wollte, was die beiden damit genau meinten, lächelte unbestimmt. Krumm machte sich daran, seine ruhelose Wanderung wieder aufzunehmen, Wally folgte ihm trippelnd. Nach ein paar Schritten blieben sie erneut stehen und drehten sich halb nach ihr um.

»Wissen Sie, was das Schlimmste ist, Frau Doktor?«

»Was, Herr Krumm?«

»Daß so viele Menschen das Glück vergessen, wenn sie alt werden. Das ist es, was mich deprimiert, und nicht das Nachlassen der Sehkraft oder daß die Knochen jeden Tag mehr weh tun. Sie erinnern sich nicht mehr daran, und dann sind sie auf einmal davon überzeugt, das Glück würde gar nicht existieren. Dabei altert das Herz doch nicht! Aber es ist traurig, es in Ruinen zu beherbergen.«

»Haben Sie das geschrieben?«

»Zuviel der Ehre!« Er lächelte geschmeichelt, und Wally tätschelte liebevoll seinen Arm. »Nein, das stammt von keinem Geringeren als dem großen Voltaire. Und der wußte schon, warum er es gesagt hat.«

»Aber Sie beide erinnern sich noch daran, oder? An das Glück, meine ich.«

»Icke? Aber immer!«

»Und ich auch!« rief Wally begeistert. »Wo ich doch jetzt meinen Eugen habe!«

Sie hörte sein Lachen noch, als sie auf Fürsts Klingel drückte.

Niemand machte auf.

Sina schellte noch einmal, dann merkte sie erst, daß die Tür nur angelehnt stand.

»Herr Fürst?«

Zögernd trat sie ein. An der Garderobe, die eine Seite des kleinen Flurs ausmachte, hingen Wolljacken und Sakkos wahllos übereinander; darunter standen einige Einkaufstüten, die zu leeren sich noch niemand die Mühe gemacht hatte. Aus der winzigen fensterlosen Küche gegenüber kam der intensive Geruch nach Gebratenem. War Fürst jetzt etwa dazu übergegangen, sich die Mahlzeiten selber zuzubereiten, nachdem er sich früher immer lobend über die Bequemlichkeit des hauseigenen Speisesaals ausgelassen hatte?

»Herr Fürst? Sind Sie da? Wir waren doch um drei Uhr verabredet!«

Sie fand ihn nirgendwo. Weder im Wohnzimmer, das durch den Flügel, das dicke Ledersofa und die dunkelgrünen englischen Sessel übervoll wirkte, noch im anschließenden Schlafzimmer, in dem sie die nachtschwarze Satinbettwäsche registrierte, mit der die Doppelcouch bezogen war. Er hatte Lottes liebevoll polierte Kirschholztischchen durch moderne Acrylablagen ersetzt. Auf der einen stand eine halbvolle Champagnerflasche; daneben lagen Kirschkerne und eine angebrochene Pralinenschachtel von der so ziemlich feinsten Konfiserie, die sich in München finden ließ.

Auf der zweiten Ablage sah sie ein halbes Dutzend angebrochener Tablettenpackungen und eine nagelneue Spraydose. Etwas dezenter nach hinten gerückt, mindestens ebenso viele verschiedenfarbige Fläschchen und Schächtelchen, deren phantasievolle Etiketten auf eindeutige Verwendungszwecke schließen ließen, was Sina ein überraschtes Schmunzeln entlockte, bevor sie diskret ins Wohnzimmer ging.

Auf dem Notenständer neben dem Flügel entdeckte sie die von Strauss übereignete Partitur des »Rosenkavalier«. Aufgeschlagen war eine der berühmtesten Stellen der Marschallin. Sina beugte sich vor und las die nächsten Zeilen:

> *»Leicht muß man sein,*
> *Mit leichtem Herz und leichten Händen*
> *Halten und nehmen, halten und lassen ...*
> *Die nicht so sind, die straft das Leben,*
> *Und Gott erbarmt sich ihrer nicht.«*

Von Fürst keine Spur. Irritiert trat Sina den Rückzug an. Hoffentlich war ihm nichts zugestoßen! Unglücklicherweise kam ihr bei diesem Gedanken sofort wieder der ungeratene Sohn in den Sinn. Die Tage ihrer Stimmlosigkeit hatte er dazu benutzt, um beleidigende Faxe in die Kanzlei zu schicken.

»Wollen Sie nicht endlich die Seite wechseln, Frau Dr. Teufel? Zahlt er wenigstens ordentlich? Und was müssen Sie dafür tun? Ihm den Hintern abwischen? Auf jeden Fall werde ich Ihnen kräftig auf die hübschen Fingerchen klopfen, da können Sie ganz sicher sein! Von einer wie Ihnen lasse ich mich jedenfalls nicht um mein Erbe bringen ...«

Schon seltsam, daß ausgerechnet ein so sympathisches Paar wie die Fürsts solch einen Fiesling hervorgebracht hatte!

Er widerte sie an. Sie war nicht einmal abgeneigt, ihn wegen Beleidigung juristisch zu belangen. Immerhin war sie als Anwältin ein Organ der Rechtspflege, und die Staatsanwaltschaft würde gezwungen sein, einer Strafanzeige wegen Beleidigung nachzugehen, anstatt wie bei Privatpersonen üblich auf den Privatklageweg zu verweisen.

Jetzt, ein Stockwerk höher, stand sie vor der richtigen Tür. Unschlüssig, plötzlich fast ein wenig verlegen. Sollte sie doch lieber wieder gehen, jetzt, nachdem der Kammersänger sie nicht persönlich vorstellen konnte?

Sie zögerte einen Moment, dann klingelte sie.

Es dauerte, bis geöffnet wurde. Sie hörte schlurfende Schritte, untermalt vom unregelmäßigen Klopfen eines Stocks. Irgendwo rauschte ein Fernsehapparat.

»Hallo!« sagte die Frau, die Sina aus dunklen, theatralisch geschminkten Augen anlächelte. »Ich bin Henny Waldheim. Und Sie müssen Frau Doktor Teufel sein.«

✦

Niemals zuvor hatte sie einen derartig beeindruckenden Stilmischmasch gesehen, »meine Lasterhöhle«, wie Henny Waldheim mit kokettem Lächeln das unglaubliche Durcheinander um sie herum kommentierte. Dicke Perserteppiche lagen kreuz und quer übereinander; ein filigranes Rokokosesselchen fand sich neben einem groben Holzhocker mit unzähligen abblätternden Farbschichten und einem Kunstlederstuhl in grellem Rot. Überall Porzellanfigürchen, Kandelaber, Vasen, Pokale, unzählige Fotografien in angelaufenen Silberrahmen. Es gab einen ovalen Eßtisch, dem man die vielfältigen Gesellschaften ansah, die an ihm getafelt haben mußten, sowie ein durchgesessenes Sofa, auf dem mehrere nachlässig gefaltete Decken lagen.

An den Fenstern hingen schwere königsblaue Samtportieren, die das Nachmittagslicht nur gedämpft hereinließen. Über einer Nußbaumkommode mit glänzenden Intarsien ein halb verhüllter Spiegel mit geschwungenem barockem Goldrahmen. Auf einem Drehkreuz gleich neben der

Kommode flimmerte ein altersschwacher Farbfernseher nun tonlos vor sich hin.

Das Erstaunlichste aber war die Bewohnerin selbst. Zu einer roten Strickmütze, aus der gelblichweiße Strähnen wie wirre Antennen hervorstanden, trug sie einen wattierten Kimono aus verblichener Seide, die einmal leuchtend grün gewesen mußte, inzwischen jedoch einen unbestimmten Schlammton angenommen hatte, und blaue genoppte Gummischlappen. Ein Tigerschal verbarg den runzligen Hals. Bei jeder Bewegung klimperten Aberdutzende Goldreifen an den beiden blaugeäderten Handgelenken, zart wie die eines Kindes.

Sie lachte, als sie Sinas fassungslosen Blick bemerkte. Gerade noch rechtzeitig hatte die Besucherin den Kopf eingezogen, sonst wäre sie unsanft gegen eine geflügelte Dame gestoßen, die an einem dicken Seil von der Decke herabbaumelte.

»Dieses Monster hier heißt übrigens Persephone und stammt angeblich aus Java. Aber ich fürchte, sie ist so scheußlich, daß nicht einmal ein sehbehinderter Hades sie freiwillig in seiner Unterwelt behalten würde.« Sie zog den Gürtel enger, schaute kokett an sich hinunter. »Bin noch im Räuberzivil, Sie müssen entschuldigen. Aber heute ist wahrlich nicht einer meiner besten Tage …«

Ihre Knochen zeichneten sich unter der dünnen elfenbeinfarbenen Haut wie ein filigranes Muster ab. Ihr Atem ging rasselnd. Erstaunlicherweise schien sie noch alle eigenen Zähne zu haben, wenngleich diese auch von jahrzehntelangem Nikotingenuß gelb waren.

»Und das ist auch der Grund, weshalb ich Ihnen absagen muß – leider.«

Die Stimme war laut, herrisch und selbstbewußt. Sie war gewohnt zu befehlen, das hörte man vom ersten Satz an.

»Kein Problem, Frau Waldheim. Wenn ich heute ungelegen komme, dann ...«

»Das ist es nicht. Ich war gleich interessiert, als Fürst mir von Ihnen erzählt hat. Warum eigentlich nicht ein bißchen Abwechslung, hab ich mir gedacht. Aber alles drängt nun einmal unaufhaltsam dem Ende zu. Da hat man andere Dinge zu tun, verstehen Sie?« Sie zog die Schultern hoch und ließ sie wieder fallen. Ihr Lächeln wurde breiter. »Denn so einfach ist das ja gar nicht mit dem großen Loslassen, ganz im Gegenteil, meine Liebe! Manche behaupten ja sogar, jedem von uns Menschenwesen sei nur ein ganz bestimmtes Kontingent an Atemzügen zugeteilt. Wenn man nun intensiver lebt und atmet, nimmt es schneller ab.«

Sie zog die Nase kraus und hatte Ähnlichkeit mit einem schrumpeligen Kobold.

»Obwohl, so ganz kann das ja auch nicht stimmen. Denn sonst müßte eine wie ich schon längst unter der Erde liegen. Und das tue ich, wie Sie sehen, noch nicht.«

Henny Waldheim kicherte, als höre sie auf einmal ganz andere, unsichtbare Stimmen, die ihr etwas zuraunten.

Sina wagte einen Vorstoß.

»Sie waren einmal sehr berühmt, Frau Waldheim. Und haben später viele andere berühmt gemacht. Es gibt nur wenige Experten, die so viel vom menschlichen Stimmorgan verstehen wie Sie.«

Eine vage Geste, die alles und nichts bedeuten konnte.

»Wenn man zuviel an sich denkt, bekommt man es leicht mit der Angst zu tun. Soll der Dalai Lama gesagt haben. Haben Sie das schon gewußt?«

War die Alte so verrückt, wie sie sich gab? Oder machte es ihr nur Spaß, sie zu verunsichern? Aus einem Grund, den sie selber nicht genau benennen konnte, entschloß Sina sich zu bleiben und weiterzufragen. Es war mehr als bloße Neugierde. Die Frau mit dem Gesicht, das an eine vielfach gebrauchte Landkarte erinnerte, hatte sie in ihren Bann geschlagen. Und wenn es ein Test war, der hier ablief, dann wollte sie ihn erst recht bestehen.

»Ich denke, es kann nichts schaden, sich mit sich selber zu beschäftigen«, erwiderte Sina nach kurzem Überlegen. »Wer sich selbst kennt hat in der Regel mehr Respekt vor anderen.«

Der Pfeil hatte sein Ziel getroffen. Sie bemerkte, wie Henny Waldheim sich straffte und sie nun aufmerksamer beäugte.

»Ja, berühmt, das war ich wohl! Vor dem Krieg, als ich in französischen Clubs gesungen und getanzt habe. Die Gäste haben bei meinen Auftritten vor Begeisterung geschrien und getrampelt. Was soll ich Ihnen sagen? Alle total meschugge. Zugaben, Blumenmeere, Autogrammjäger, Blitzlichtgewitter und sogar als der furchtbare Spuk vorbei war und man in Deutschland wieder auftreten konnte, ging die ganze verrückte Raserei weiter, als sei inzwischen nichts geschehen, keine zerbombten Städte, keine Gaskammern, keine Millionen Menschen, die, wenn nicht ihr Leben verloren hatten, so doch ihren Verstand. Und das alles wegen einem Paar angeblich famoser Beine und einer dünnen, reichlich unmelodischen Stimme, wenn Sie mich fragen. Dabei war ich damals nicht einmal mehr richtig jung. Und ohnehin am besten, wenn ich in Hosen auftrat, den Kerl markierte und dabei andere Weiber anmachte ...«

Sie riskierte ein paar ungelenke Schritte, wohl nicht ohne Schmerzen, und Sina fiel auf, daß sie ihr Gewicht dabei geschickt von einer Hüfte auf die andere verlagerte und es vermied, den Stock zu benützen.

»Aber einigermaßen gut erhalten. Wie es Rosen halt sind,

die man ausgiebig im Kühlhaus aufbewahrt hat. Oder Dinge, die man gründlich in Alkohol konserviert. Denn trinken, das konnte ich, und tanzen, ja, tanzen! Das mit dem Theater und den sogenannten ernsthaften Rollen kam erst später. Um einiges später sogar. Weil ich mich nämlich geweigert habe, ein ordentliches Ende für mein unübersichtliches Leben zu zimmern, als wäre es nichts anderes als irgendeine unbedeutende Kurzgeschichte. Nein, so einfach wollte ich es mir selber nicht machen! Je mehr lose Enden, desto besser. Ein Hauch von Ewigkeit, wie die Dichter sagen. Und kein Vergessen. Nein, kein Vergessen!«

Sie verstummte abrupt und sah auf einmal fragil und so abwesend aus, daß Sina erschrak.

»Ich werde Sie jetzt lieber allein lassen, damit Sie sich ein bißchen ausruhen können. Tut mir leid, daß ich Sie so lange beansprucht habe.«

Ein verächtliches Schnalzen. »Sie haben mich nicht ›beansprucht‹. Und ausruhen, das kann ich vermutlich noch lange genug. Nein, warten Sie, einen Augenblick noch! Sie erinnern mich an jemanden, den ich früher einmal sehr mochte. Sind Sie sicher, daß wir uns noch niemals zuvor begegnet sind?«

»Ganz sicher«, bekräftigte Sina. Eine Frau wie Henny Waldheim vergaß man nicht.

»Bleiben Sie trotzdem! Mit dem Sterben könnte ich mir ja noch ein bißchen Zeit lassen. Und wenn es doch schon heute oder vielleicht morgen soweit sein sollte – was macht das schon? Der Tod ist doch nichts anderes als der Übertritt in einen anderen Zustand. Die Seele wechselt ihr Kleid, und basta.« Sie streckte die Arme aus wie vor großem Publikum. »Sie hätten nicht zufällig eine Zigarette für mich?«

»Leider nein. Ich rauche seit sieben Wochen nicht mehr.«

»Interessant.« Henny Waldheim kam ein paar Schritte näher. »Und? Konsequent?«

»Bisher schon. Aber fragen Sie bloß nicht, wie ich mich manchmal dabei fühle! Inzwischen habe ich längst vergessen, warum ich eigentlich aufhören wollte.«

Beide lachten herzlich. Jetzt schien das Eis endgültig gebrochen.

»Sie möchten, daß ich Ihnen Sprechunterricht erteile?«

»Ja, deshalb bin ich hergekommen. Mir ist vor kurzem die Stimme weggeblieben. Mitten in der Gerichtverhandlung. Und da dachte ich …«

»Ach, Richterin sind Sie?« Jetzt klang die alte Künstlerin zum erstenmal angespannt.

»Gott bewahre, nein – Anwältin! Mit Herz und Seele. Manchmal vielleicht sogar einen Tick zuviel.«

»Eine Juristin, die bei allem noch Mensch geblieben ist. Und zudem die seltene Gabe der Selbstreflexion besitzt, wie überaus erfreulich! Nein, keine Einwände, so etwas sehe ich auf den allerersten Blick! Dazu brauche ich meine alten Augen gar nicht.« Ein Tippen auf die eingefallene Brust. »Das wird von hier aus erledigt. Denn wenigstens das funktioniert noch immer erstaunlich gut.«

Henny Waldheim reckte ihr Kinn.

»Setzen Sie sich erst einmal! Nein, nicht auf den Stuhl, der ist zu wackelig. Ja, hierhin, auf den Hocker! Wir müssen erst feststellen, wie es bei Ihnen überhaupt aussieht.«

Sie berührte Sinas Haare. Wie ein Schwarm von Kolibris, dachte Sina. Winzige, pastellfarbene Kolibris.

»Augen zu! Und jetzt versuchen Sie, sich zu entspannen!«

»Und wie in aller Welt macht man das?«

Glockenhelles Lachen. »Sehen Sie, das habe ich vorhin gemeint, als ich sagte, daß Sie mir gefallen. Ich mag es, wenn Menschen ehrlich sind. Entspannen? Nichts einfacher als das! Und so notwendig für Sie, junge Frau! Sie vergessen jetzt erst einmal Ihren Kopf. Eigentlich müßte er sich solange ausruhen, bis der Körper soweit ist, daß er den Kopf wieder braucht.«

Es blieb für ein paar Augenblicke ganz still, dann spürte Sina, wie ihre Gesichtshaut bewegt wurde. Weiches Dehnen. Kreisendes Verschieben. Die runzligen Finger fühlten sich warm an und verfuhren sehr zart mit ihr. Sie wurde ruhiger. Frieden erfüllte sie und eine innere Gelassenheit, die sie viel zu lange schon vermißt hatte. Beinahe hätte sie aus Erleichterung zu weinen begonnen.

»Glatt wie ein See«, murmelte die alte Frau. »Ein stiller See, tief und klar. Ja, so ist es schön! Alles wird gut. Sie brauchen nichts zu machen. Es atmet. Das genügt. Keine Anstrengung, keine Mühe, einfach nur sein. Wie soll denn die Stimme fließen, wenn schon außen alles ganz verkrampft ist? Sie müssen sich Raum geben. Dann trägt auch Ihre Stimme, schwingt stark und frei. Also – Gaumen locker! Zunge ganz locker! Mundhöhle entspannt!«

Ein paar Augenblicke vollkommener Stille.

»Und jetzt lächeln Sie sich innerlich zu. Das trägt die Entspannung vom Muskel in die Seele.«

Sinas Wange wurde plötzlich unsanft gekniffen.

»Na los, lächeln Sie schon! Worauf warten Sie noch?«

◆

»Darf ich wiederkommen?« fragte Sina später, als sie gehorsam in kleinen Schlucken einen faden, lauwarmen Hafertee trank, den Henny Waldheim ihr aus angeschlagenem Meißner Porzellan kredenzte.

»Ach, mein liebes Kind …« Mit milchigen, dunklen Augen sah die alte Frau Sina an. Das üppig aufgetragene Kajal war längst verwischt und hatte die ganzen Augenhöhlen in rätselhafte, rußige Flächen verwandelt. »Mumm haben Sie jedenfalls. Und hartnäckig sind Sie auch. Wieso glauben Sie eigentlich, daß ausgerechnet ich Ihnen helfen kann?«

»Nur ein Gefühl. Aber ein sehr starkes. Außerdem müssen wir noch über Ihr Honorar reden. Sagen Sie mir einfach, was Sie sich vorgestellt haben.«

»Das eilt nun wirklich nicht. Was bedeutet schon Geld? Das einzige, was überhaupt auf dieser Welt zählt, sind doch das Glück und die Liebe. Dann bis nächste Woche!« Ihr Händedruck war überraschend kräftig. »Eine Bitte noch.«

»Ja?« Sina war schon halb aus der Tür.

»Halten Sie Fürst aus unserer kleinen Vereinbarung raus. Er gehört nicht gerade zu den Menschen, bei denen Geheimnisse gut aufgehoben sind, wenn Sie verstehen, was ich meine.«

»Ganz, wie Sie wollen«, erwiderte Sina überrascht. »Aber ich dachte, Sie beide wären gut bekannt, vielleicht sogar befreundet ...«

»Papperlapapp! Ich mochte schon mal nicht, wie er seine Frau behandelt hat. Als wäre sie ein Dreck, ein Nichts. Dabei war sie ihm vielfach überlegen, klüger, weltgewandter, witziger – einfach alles. Und sie hat sich nicht dagegen gewehrt, bis zum Schluß nicht, was ich niemals verstanden habe. Ach, wieso kuschen wir Weiber noch immer vor dem angeblich stärkeren Geschlecht? Ändert sich das denn niemals?«

Sie riß sich die formlose Teewärmermütze vom Kopf. Durch ein paar wirre weiße Strähnen schimmerte hellrosa Haut.

»Außerdem können alte Frauen alte Männer meistens ebensowenig ausstehen wie umgekehrt. Oder weshalb träumen sonst alle von frischem, jungen Fleisch, selbst wenn es bei den meisten nur süße Träume bleiben?«

Die Armreifen klimperten.

»Das ganze Haus hier ist ein einziges Beispiel dafür, vollgestopft mit lauter abgetakelten Schreckgespenstern. Ein richtiger Krieg tobt zwischen den beiden Geschlechtern, wobei die Frauen sich nicht einmal jetzt stark fühlen, obwohl sie in der Überzahl sind. Wie sie im Speisesaal die Hähnchen gierig mit ihren gichtigen Händen auseinanderreißen, als ginge es um das bißchen Essen! Oder sich gegenseitig mit ihren widerlichen Krankheiten zu übertrumpfen versuchen, als wäre das die letzte Chance, sich zu spüren! Als ob sie niemals jung gewesen wären, niemals geliebt, niemals gelitten hätten!«

Das Gesicht verzerrte sich bei diesen langen, hastig hervorgestoßenen Auslassungen, ähnelte nun auf verblüffende Weise einer tönernen Maske mit unzähligen feinen Rissen. Sina konnte den Blick nicht abwenden.

»Keiner, mit dem man lachen könnte über all die Torheiten, die man im Lauf seines Lebens angestellt hat! Nicht ein passender Spielgefährte für das große Abenteuer Sterben! Nicht einer, den man sich als Begleiter wünschen könnte, nicht einer! Da bleibt doch nur die Erinnerung, oder? Selbst wenn man sich endgültig die Finger an ihr verbrennt.«

Sie schloß die Augen. Als sie sie wieder öffnete, war ihr Blick klar und warm.

»Und ich, ich bin die Schlimmste von allen, weil ich Sie mit meinen Weinerlichkeiten langweile, wie schrecklich! Schluß damit! Also, kommen Sie wieder! Sie würden mir eine Freude damit machen. Ich kann zwar nichts versprechen, aber Sie werden schon sehen, was Sie davon haben!«

Die Tür fiel zu. Sina blieb noch ein paar Augenblicke unter dem Licht des künstlichen Sternenhimmels stehen, bevor sie sich auf den Weg zu ihrem Auto machte.

Acht

Gleich beim Einsteigen hatte er ihr einen weichen dunklen Wollschal um die Augen geschlungen und am Hinterkopf so sorgfältig festgeknotet, daß sie beim besten Willen nichts mehr sehen konnte. Anschließend kutschierte er sie bei offenem Verdeck quer durch Berlin, am Autoradio begleitet von Freddie Mercurys einschmeichelnden Songs, die sie beide liebten. Während der Fahrt kam ihr ein paarmal in den Sinn, was wohl die Leute denken mochten, die sie überholten oder ihnen entgegenkamen, aber ehrlich gesagt, war es ihr ziemlich egal. Sina genoß den warmen Sommerwind auf der Haut, die vielfältigen Geräusche der großen Stadt, vor allem aber das unbekannte Abenteuer, das irgendwo schon auf sie wartete.

Offenbar waren sie nun am Ziel angelangt. Laszlo half ihr aus dem Wagen, führte sie in ein Treppenhaus und bugsierte sie anschließend behutsam, aber nachdrücklich in einen altertümlichen Fahrstuhl, dessen Tür sich geräuschvoll hinter ihnen schloß.

»Woher weißt du eigentlich«, fragte er, als sie eine entsprechende Bemerkung machte, »daß dieser Lift hier nicht mehr der Jüngste ist? Hast du vielleicht doch heimlich geguckt?«

»Hör ich doch am Klang«, gab sie vergnügt zurück. »Oder hast du schon mal einen modernen Aufzug erlebt, der wie verrückt rattert?«

»Alle Achtung, Sina, an dir ist wirklich eine Detektivin verlorengegangen!« frotzelte er. »Mal ganz ehrlich: Hat dir das noch niemand gesagt?«

Noch immer blind und daher wehrloser als sonst, schlug sie lachend mit der Handtasche nach ihm, Laszlo aber wich schnell zur Seite aus.

»Was soll das hier eigentlich werden?« fragte sie, weil sie bei allem Entzücken über seinen nicht enden wollenden Einfallsreichtum nicht verhindern konnte, daß ein unangenehm kribbelndes Gefühl in ihrer Magengrube aufstieg. »Ein bundesdeutsches Remake von ›Neuneinhalb Wochen‹, speziell für gut erhaltene Turbosenioren arrangiert?«

»Bleib mir bloß mit den verrückten Alten vom Hals!« Laszlo versetzte ihr einen zärtlichen Nasenstüber. »Ich mag von Ottl, Lotte, Henny und wie all deine seltsamen Vögel noch heißen mögen nichts mehr hören. He, ich bin jung, falls dir das inzwischen entfallen sein sollte, und du bist es auch! Kannst du nicht einmal ganz in der Gegenwart sein – mir zuliebe?«

Sie schwieg und versuchte zu lächeln.

Er gab sich solche Mühe, schon die beiden letzten Tage, hatte Karten für Taboris »Zauberflöte« im Circuszelt besorgt, den Kühlschrank mit ihren Lieblingsleckereien gefüllt, sie in die neue Inkneipe »Bolle« am Prenzlauer Berg geführt, wo sein Patenkind Vic seit ein paar Wochen zum Vergnügen des Publikums allabendlich meisterhaft das Saxophon malträtierte, und eine durch und durch romantische Spreefahrt organisiert, aber ihre gewohnte Euphorie in seiner Nähe wollte sich trotz allem nicht einstellen. Zu sehr hingen ihre Gedanken in München fest, bei all den Menschen, die ihr dort wichtig waren: Carlo, der sich am Telefon wie ein zweiter Hercule Poirot aufführte, weil ihm angeblich irgend etwas Aufsehenerregendes auf seinem

Weinetikett aufgefallen war; Louis Levin, ihr Freund, der Strafverteidiger, der mit seinem brandneuen Lebensgefährten Pablo ganz unerwartet aus Mammutflitterwochen zurückgekehrt war und vor skurrilen Geschichten und spannenden Abenteuern buchstäblich barst; Anke, die wegen ihrer Technonächte erneut böse mit Niko aneinandergeraten war und nun nicht wußte, wohin mit der kleinen Emma, bis sie sich schließlich doch wieder vertragen würden. Und natürlich Hanne.

»Tut mir leid«, sagte sie, »ehrlich! Ich möchte wirklich nicht die Frau sein, die diesen netten Mann hier traurig macht.«

»Das tust du doch gar nicht, Sina«, widersprach er. »Und außerdem weißt du ja, daß es mir am liebsten ist, wenn du mir nichts vormachst.«

Da war er wieder, jener fordernde Unterton, der schon die ganzen Tage mitschwang. Oder bildete sie sich das bloß ein, überarbeitet und angespannt, wie sie war?

»Laszlo«, begann sie bittend, »ich weiß, du hast dir dieses wunderbare Spiel so liebevoll ausgedacht, aber ich hab nun mal im Moment wohl leider nicht ...«

»Augen auf!«

Es war plötzlich so hell, daß sie blinzeln mußte. Sie stand in einer der schönsten leeren Wohnungen, die sie jemals gesehen hatte: hell, geräumig, hoch, mit weißgestrichenen Kassettentüren, Stuckdecken, dreigeteilten Fenstern.

Zögernd machte Sina ein paar Schritte.

»Sieh dich nur in aller Ruhe um!« Laszlo strahlte wie ein kleiner Junge. »Dauert ganz ordentlich, bis man die fünf Zimmer plus Küche plus Speisekammer einzeln durch hat. Das kann ich dir aus Erfahrung verraten.«

Die drei vorderen Zimmer waren durch Doppelflügeltüren miteinander verbunden. Wenn sie offenstanden wie jetzt, hatte man den Eindruck eines einzigen, lichtdurchfluteten Raumes.

»Wohnzimmer, Eßzimmer, Gästezimmer«, sagte Laszlo beiläufig. »Oder ein Arbeitszimmer, ganz nach Wunsch. Falls man zufällig auf die Idee verfallen sollte, daß es ein Leben außerhalb juristischer Spitzfindigkeiten geben kann. Nur mal rein hypothetisch, natürlich.«

Ihren fragenden Blick ignorierte er geflissentlich.

»Zum Schloß Charlottenburg sind es übrigens nicht einmal fünf Gehminuten. Nicht die schlechteste Gegend, Sina, mit Schloßpark, Wasserspielen und natürlich um einiges nobler als mein olles Paul-Lincke-Ufer. Jetzt, wo alles trendmäßig nach Berlin-Mitte strebt, können sich echte Snobs eigentlich wieder die alten Nobelviertel leisten, meinst du nicht? Mit dem breiten Trottoir kriegt man nach vorn übrigens nicht viel vom Verkehr mit, auch wenn es zur Hofseite hin noch ruhiger ist.«

Vom mittleren Zimmer führte ein leicht geschwungener Raum nach hinten.

»Aber der ist ja ganz rund!«

»Jenau. So 'ne Art Salon, würd ick mal sajen. Det Richtige für Kenner, oder?« Er berlinerte wie immer, wenn er sich unsicher fühlte. »Haste mal die alten Eichenböden angekiekt? Wat meenste, wie doll die erst werden, wenn se frisch abjeschliffen sind! Und die Jugendstiltürgriffe, wenn se jemand geputzt und ordentlich gewienert hat?«

Sie nickte, allerdings ohne rechte Begeisterung.

»Hier könnte man schlafen. Hier kochen. Muß man natürlich erst alles einrichten, Herd, Kühlschrank, Spüle, Möbel et cetera, aber det is ja schließlich nich die Welt, oder? Und auf'm Balkon mittenmang im Grünen frühstücken. Hier is die Speisekammer. Und da noch'n weiteres kleeneres Zimmer, auf Vorrat sozusagen. Und det hier sind Bad und Klo. Nicht übertrieben groß, dafür aber schnieke.«

Alles weiß, hell, geschmackvoll renoviert.

»Und wat sachste nu?«

»Fast zu schön, um wahr zu sein«, erwiderte Sina vorsichtig. »So etwas gibt's doch eigentlich nur im Film. Wem gehört denn diese Prachtwohnung, Laszlo?«

Er kam ihr so nah, daß sie seinen Atem auf ihrer Haut spürte. »Uns, Sina. Wenn wir zwee beede mutig jenug dazu sind«, sagte er leise, »und zwar schon übernächsten Monat.«

✦

Sie mußte an all das denken und an sein erwartungsvolles, fast schon feierliches Gesicht, als sie bei der Rückkehr nach München ihre Wohnungstür mit einem so umfassenden Gefühl der Erleichterung aufschloß, daß sie sich beinahe schämte. Ihr übliches Durcheinander empfing sie, die Schals, die sie vor dem Abflug ungeduldig aus der Kommode gezerrt hatte, der unordentliche Zeitungspacken, der noch immer auf seinen längst fälligen Transport in die Papiertonne wartete, die balinesischen Löwen, auf denen sich eine stattliche Staubschicht angesammelt hatte. Hier war nichts neu, geschniegelt oder gar hypermodern renoviert. Der altgediente Berberteppich im Wohnzimmer hätte längst einmal wieder eine Reinigung gebraucht, die Regale hingen wegen Dauerüberlastung gefährlich in der Mitte durch, und ob sie dem wuchernden Grünspan auf der Dachterrasse jemals den Garaus machen konnte, war mehr als fraglich.

»Taifun? Taifun, wo steckst du?«

Natürlich dachte der Schwarze nicht daran, auf ihr Rufen zu reagieren. Sie wußte genau, was nun anstand, das alte

Spiel, mit dem er zunächst seine Mißbilligung über ihr langes Fortbleiben ausdrückte, obwohl ein glücklicher Ausgang unweigerlich war. Sina ging von Zimmer zu Zimmer und verwischte die Spuren, die von der etwas rauhen Hand des Studenten stammten, den sie mangels anderer geeigneter Aspiranten als Katzensitter eingesetzt hatte: Kippen im Aschenbecher, leere Tetrapacks von billigem Wein und halb aufgegessene Wurstdosen, was sie alles kurzerhand in den Mülleimer warf.

Auch die Pflanzen machten einen eher trostlosen Eindruck; sie versorgte sie mit frischem Wasser, während sie aus den Augenwinkeln beobachtete, wie Taifun so unauffällig wie möglich aus dem Kleiderschrank kroch und sich schnellstens unter das Sofa zwängte. Anschließend packte sie die Reisetasche aus, setzte die Waschmaschine in Gang und legte, bevor sie unter die Dusche ging, die Bob-Marley-CD ein, die Laszlo ihr zum Abschied geschenkt hatte. Danach ein paar Spritzer Parfüm auf die Haut, ein altes Leinenhemd, das früher einmal Carlo gehört hatte und deshalb gemütlich weit war, und schon fühlte sie sich frisch und neu belebt.

Der Kater umrundete sie betont unauffällig in konzentrischen Kreisen, die immer enger wurden.

Sie war gerade auf dem Weg in die Küche, um sich ein Glas Weißwein zu holen, mit dem sie draußen auf der Dachterrasse den Sonnenuntergang genießen wollte, als Taifun schließlich das Schmollen über hatte und sich in einer kühnen Rolle vorwärts vor ihr auf das Parkett warf. Sie lachte, kniete nieder, kraulte seinen Bauch und fuhr mit zehn gespreizten Fingern durch sein glänzendes, dichtes Fell.

»Frieden, mein Dicker? Aber immer! Du weißt doch, was ich feierlich für immer und ewig geschworen habe: Niemals fremde Katzen neben dir zu haben. Verzeihst du mir nun, daß ich dich alleinlassen mußte?«

Ungeduldiges Klingeln, ein paarmal hintereinander. Sina erhob sich widerwillig, um aufzumachen. Gerade jetzt fiel ihr so gut wie kein lebender Mensch ein, den sie sich als Besuch gewünscht hätte.

»Kann ich reinkommen?« Hanne stand vor der Tür, blaß und hohlwangig. »Meinen Jacky habe ich übrigens vorsorglich unten im Auto gelassen. Mit offenem Fenster, weil ihm sonst zu heiß wird. Geradezu eine Einladung für Autoklauer! Und wozu das alles? Nur, damit dein werter Kater keinen Herzkasperl kriegt.« Sie bückte sich, um ihn zu streicheln. Schnurrend rieb er sich an ihren nackten Beinen. Nach ein paar Schritten blieb sie plötzlich stehen. »Hast du eigentlich schon deinen Anrufbeantworter abgehört?«

»Nein, wieso?«

»Die Mühe kannst du dir sparen. Ich hab ihn nämlich total vollgequasselt.« Die ersten Tränen. »Ach, Sina, und ich dachte schon, du würdest nie mehr zurückkommen!«

Sie weinte, als sie sich in einen der bequemen Korbsessel niederließ und noch mehr, als Sina ihr ein Glas Wein in die Hand drückte. Schluchzend vertilgte sie später eine Riesenportion Spaghetti aglio e olio, zu denen Sina sie mit sanfter Gewalt nötigte, und anschließend zwei Brote mit gehobeltem Parmesan.

»Ich wußte gar nicht, wie hungrig ich war«, schniefte sie. »Kann ich noch etwas von den leckeren Mandelplätzchen haben, selbst auf die Gefahr hin, daß ich dann womöglich platze?«

»Nur zu, bitte, bedien dich! Ich wette, du hast schon ewig nichts Anständiges mehr gegessen. Und jetzt möchte ich endlich hören, wie es mit dir und diesem Knoten weitergeht.«

Erneut flossen reichlich Tränen, und Hanne begann loszusprudeln, als wäre mit einem Mal ein unsichtbarer Stöpsel gezogen.

»Mammographie und Ultraschall hast du also bereits hinter dir«, faßte Sina schließlich zusammen. »Das ist schon mal sehr gut. Und wann gehst du in die Klinik?«

»Soll ich wirklich?«

»Aber das ist doch gar keine Frage, Hanne! Du mußt!« Es war schon schlimm genug gewesen, Friederike zu verlieren. Allein der Gedanke, daß Hanne in Gefahr sein könnte, schnürte Sina den Hals zu.

»Und was ist, wenn ich dann aufwache, und meine Brust ist vielleicht ...«

»Erstens muß man sich nicht immer gleich das Allerschlimmste ausmalen, und zweitens hat selbst dann die moderne Medizin Mittel und ...«

Sie brach mitten im Satz ab, faßte Hanne streng ins Auge.

»Sag bloß, du hast Bill noch nichts davon erzählt!«

»Stimmt«, sagte Hanne trotzig. »Und von mir wird er es auch nicht erfahren.«

»Das ist so ziemlich das Verrückteste, was ich jemals gehört habe. Der Mann ist schließlich dein Lebensgefährte, Hanne, nicht irgendein entfernter Bekannter! Willst du dich ab jetzt immer im Dunkeln ausziehen? Oder ihm vielleicht gar einreden, die Narbe hätten dir Außerirdische beigebracht?«

»Jetzt ist er jedenfalls erst einmal nach New York geflogen. Ein vielversprechender Job, irgend etwas mit Internet und Werbung, wenn ich ihn richtig verstanden habe, mehr hat er vorerst nicht verraten. Aber er hat versprochen, mir etwas absolut Sensationelles mitzubringen – mindestens! Darunter tut er's nicht. Du kennst ihn doch, oder?« Hanne nestelte an ihrem Taschentuch. »Ich bin ganz froh, daß er

weg ist. Fürs erste zumindest. Und was danach wird, darüber denke ich anschließend nach.«

»Bist du wirklich sicher?«

»Ganz sicher. Sag mal, Carlo hat neulich so komisch rum-
geunkt von wegen du würdest dich vielleicht bald ganz in
Berlin niederlassen. Ist da vielleicht was dran? Du gehst doch
nicht wirklich weg, Sina? Das kannst du mir nicht antun!«
Sie klang ängstlich.

»Carlo hört doch immer das Gras wachsen«, widersprach
Sina matt. »Kennen wir doch zur Genüge, oder? Außerdem
lebe ich gern hier in meinem verschrobenen München.
Und das weißt du ganz genau.«

»Du bist die mit Abstand schlechteste Lügnerin, die ich
kenne.«

»Also gut: Laszlo ist drauf und dran, so ziemlich die schönste Wohnung anzumieten, die man sich vorstellen kann.«
Sie hielt inne. Schüttelte den Kopf, als könne sie es selber
noch nicht ganz fassen. »Eine Wohnung für *zwei Personen.*
Er hat sich in den Kopf gesetzt, daß wir künftig zusammenleben.«

»Ein Mann, ein Wort, und die Tat auch noch gleich dazu –
hast du dir das eigentlich nicht schon seit Ewigkeiten gewünscht?«

Sina nickte.

»Und warum um Himmels willen machst du dann so ein
unglückliches Gesicht?«

»Weil die Wohnung ganz zufällig in Charlottenburg liegt
und nicht in Altschwabing – wenn du verstehst, was ich
meine.«

Das Telefon begann zu klingeln.

»Das ist garantiert Laszlo. Wetten?« Hanne setzte eine wis-
sende Miene auf und sah auf einmal fast vergnügt aus.
»Männer kriegen es irgendwie immer telepathisch mit,

100

wenn man über sie spricht. Frag mich nicht, wie sie es anstellen, aber sie schaffen es.«

Das Läuten wollte und wollte nicht aufhören. Sina machte trotzdem keinerlei Anstalten, abzuheben.

»Ich muß schließlich nicht immer zu Hause sein«, sagte sie bockig. »Schon gar nicht am Sonntagabend.«

»Und wenn es was Wichtiges ist? Jemand wie ich beispielsweise, der verzweifelt ist oder nicht mehr weiterweiß?«

»Ach, Hanne, wer könnte deinen Argumenten schon widerstehen?«

Jetzt nahm sie den Hörer ab.

»Krumm hier, verehrte Frau Doktor«, hörte sie eine heisere Altmännerstimme mit unverkennbarem Berliner Akzent. »Aus dem Oskar-Maria-Graf-Domizil.«

»Und Wally«, meldete sich Walter Klier aus dem Hintergrund. »Oder glauben Sie vielleicht, ich würde meinen Eugen in solch einem Moment allein lassen?«

»Ist etwas passiert, Herr Krumm?«

»Det könnte man so ausdrücken. Ich wollte eben zu Fürst. Mir 'n bißchen Wein borgen, da ich gerade meine sentimentalischen fünf Minuten hatte, die man leicht benebelt eindeutig besser übersteht. Aber als ich klingeln wollte, stand die Tür nur angelehnt. Nach lautem Rufen und Klopfen bin ich dann rein ...« Er hielt inne, schnaufte schwer.

»Nun mach schon, mein Eugen«, quengelte Wally, dieses Mal viel näher am Hörer, als habe der den anderen einfach beiseite gedrängt. »Sag endlich, was los ist!«

»Ja?« fragte auch Sina ungeduldig.

»Na, wat soll ick Ihnen sajen? Jefunden hab ick ihn schließlich im Schlafzimmer. Aufm Bett.«

»Gefunden?«

»Tot, Frau Doktor.«

»Mausetot«, bekräftigte Wally.

Neun

Als Sina im Oskar-Maria-Graf-Domizil eintraf, war der Bereitschaftsarzt schon mit der Untersuchung des Toten beschäftigt. Ein schwerer, mürrischer Mann Anfang Fünfzig in durchgeschwitzten Hosen und einem zu engen Streifenhemd, dem der Verdruß darüber ins Gesicht geschrieben stand, daß er nach einem anstrengenden Praxistag nun auch noch hier Dienst tun mußte, anstatt sich endlich bei Wurstsalat und Weißbier in seinem Garten erholen zu können.

»Das sind mir schon immer die Allerliebsten gewesen«, murmelte er verdrossen, während er die Herztätigkeit abhörte und sich auf klassische Weise mit einem Spiegel vor dem Mund des Toten vergewisserte, daß die Atmung ausgesetzt hatte. »Sich erst in einen noblen Altersruhesitz einkaufen und dann nicht einmal einen Hausarzt zur Hand haben, wenn es brenzlig wird. Und Deppen wie ich dürfen wieder einmal Feuerwehr spielen!«

»Doktor Winter ist gerade zur Kur«, sagte Eugen Krumm, der es sich nicht nehmen lassen wollte, der Untersuchung beizuwohnen, »und steht daher leider nicht zur Verfügung. Ich meine, nach fast vierzig Jahren Dienst am Patienten ist ihm das von ganzem Herzen zu gönnen.«

Er zitterte, war ganz blaß um die Nase. Walter Klier in einem schneeweißen Matrosenkleid mit dunkelblauen Borten, an den Füßen halsbrecherisch hohe Sandaletten, wich nicht von seiner Seite und warf ihm immer wieder besorgte Blicke zu.

Maria Schnell, die Leiterin des Domizils, konnte ihre Nervosität ebenfalls nur schwerlich verbergen. »Wollen Sie nicht lieber rüber gehen, Herr Krumm? Und Sie ebenfalls, Herr Klier? Zurück in Ihre Appartements und sich ein bißchen schlafen legen, damit es nicht zuviel für Sie wird?« schlug sie mit belegter Stimme vor. »Mir jedenfalls geht es jedesmal so fürchterlich nah, wenn einer aus unserer lieben Gemeinschaft heimgerufen wird. Besonders, wenn es ein so angenehmer Bewohner wie unser verehrter Kammersänger ist.«

Ihre Augen glänzten, die Nase war leicht gerötet. Auf der weißen Bluse zeichneten sich Schweißflecken ab. Ihr Haar, für gewöhnlich in einer festgeklebten Dauerwelle zementiert, wirkte jetzt wie elektrisiert und erinnerte an wild gewordene Miniantennen.

»Glauben Sie vielleicht, ich würde jetzt ein Auge zukriegen?« protestierte Krumm. »Schließlich hab ich ihn ja gefunden. Und Ottfried Fürst würde es gefallen, daß ich hier bei ihm bin, det weeß ick mit Bestimmtheit. Ich bleibe!«

»Und ich natürlich auch!« trompetete Wally. »Sonst fällt mir mein Eugen noch um, so wacklig, wie der beieinander ist.«

»Doch nicht *der* Fürst?« Jetzt schwang in der Stimme des Arztes ein Hauch von Respekt mit. »Meine Mutter hat schier verrückt gespielt, wenn Fürst Ottl im ›Blauen Bock‹ seine launigen Trinklieder gesungen hat. Keine einzige Sendung hat sie versäumt, weil sie ihn ja von der Bühne kannte, von früher, als er als Opernsänger berühmt war.« Er hatte die Lider des Toten hochgezogen und leuchtete mit einer Taschenlampe in die Augen. »Mittelweite Pupillen, lichtunempfindlich«, murmelte er. »Genau, wie ich mir gedacht habe.« Dann klappte er Fürsts Mund auf. »Und auf die Zunge hat er sich auch gebissen – typisch.«

»Ja, eben dieser«, erwiderte Sina. »Der berühmte Bassist, Held auf Europas Opernbühnen. Wie lange dürfte er denn schon tot sein, Herr Doktor ...«

»Geyer«, kam die Antwort. »Florian Geyer. Schwer zu sagen.« Er erhob sich ungelenk. Seine Knie knacksten, als sei die Last der vielen Kilos auf einmal zu viel. »Und die Hitze da draußen macht es nicht eben einfacher. Da verlaufen alle Prozesse schon mal ein bißchen fixer als gewöhnlich. Vier, fünf Stunden, schätze ich mal. Die Totenstarre hat jedenfalls bereits eingesetzt. Aber die Kollegen aus der Pathologie können Ihnen bestimmt Genaueres verraten. Auch einer von den Jobs, die ich unter Garantie nicht haben möchte.«

Er hatte die gefütterte Wolldecke weggezogen, unter der Fürst lag, nackt, wie Sina zu ihrer Überraschung registrierte, der bei Geyers mürrischen Worten Antonia Frisch und ihre tapferen Lehrjahre in der Gerichtsmedizin eingefallen waren. Der Tote lag auf dem Rücken, mit seltsam nach innen geknickten Handgelenken. Ein schwerer, süßlicher Schwall verbreitete sich im Raum, so durchdringend, daß sie unwillkürlich zurückwich.

Jetzt eine Zigarette!

Ihre Hand zuckte bereits in alter Gewohnheit in Richtung Tasche, bevor sie unverrichteter Dinge nach unten sank. Trotz des inneres Kampfes ließ Sina den Toten und alles, was mit ihm geschah, nicht einen Moment aus den Augen.

»Eingenäßt und eingekotet«, kommentierte Geyer ungerührt. »Als Arzt gewöhnt man sich daran. Aber es dauert, das kann ich Ihnen verraten. Und nicht zu knapp, das wird Ihnen jeder bestätigen, der halbwegs aufrichtig ist. Ein furchtbares Wetter ist das zur Zeit für Leute mit Herzproblemen! Und die hatte er ja offenbar. Da reicht schon eine kleine ungewohnte Anstrengung, und es ist vorbei.«

Sein Blick glitt zur Acrylablage, wo ein halbes Dutzend Tablettenschachteln in wildem Durcheinander lag.

»Isoket für morgens und mittags, Corvaton retard, ja, das sind die Hämmer, die wir in der Regel unseren Patienten verordnen, wenn die Pumpe nicht mehr so richtig will. Zur Nitrodose hat er es offenbar nicht mehr geschafft.«

Sie fanden sie schließlich am Boden, halb unter das Bett gerollt.

»Und den ersten großen Warnschuß hatte er ja bereits hinter sich.« Er deutete auf die lange, leicht glasige Narbe, die den Körper vom Brustbein bis hinunter zum Bauchraum durchschnitt. »Typische Bypass-Narbe. Aber die künstliche Gefäßbrücke zwischen Hauptschlagader und Herzkranzarterien funktioniert eben auch nur, wenn man anschließend dementsprechend lebt: kein fettes Essen, Schluß mit Nikotin, kaum Alkohol – und kein Sex. Eben alles, was richtig Spaß macht, egal, wie alt man ist.«

Sein Lachen klang gewollt.

»Herr Fürst war Witwer«, sagte die Heimleiterin schnell, als sei mit dieser Unterstellung auch ihre Würde und die des Heims angetastet. Ihr Gesicht wurde streng, fast bitter. »Und er hat seine verstorbene Frau von ganzem Herzen geliebt. Fast wie eine Heilige hat er sie verehrt. Eine Ehe wie im Bilderbuch. Das kann Ihnen jeder hier bestätigen.«

Sina dachte an Henny Waldheims Andeutungen und schwieg.

Jetzt wurde die Tür aufgerissen. Die alte Künstlerin stand in einem rosafarbenen Tüllkleid, das dicht mit Pailletten besetzt war, als sei sie auf dem Weg zu einem Ball, im Zimmer. Ihr Gesicht war wüst mit bunter Schminke bemalt. Auf dem Kopf trug sie eine windschiefe platinblonde Lockenperücke, an den bloßen, blaugeäderten Füßen straßbesetzte Pantöffelchen.

»Ist er tot?« rief sie.

»Ja, das ist er«, sagte Sina verblüfft. Hatten etwa ihre Gedanken Henny Waldheim hergelockt? »Aber woher wissen Sie das denn?«

Ein zerstreutes Handwedeln. Jetzt erst sah man, daß sie einen zerfransten, weißen Fächer schwenkte, der mit Schwanenfedern besetzt war.

»Die Toten haben es mir verraten. Leider sind sie nicht immer so mitteilsam, beileibe nicht! Vielleicht diesmal, weil ich bei ihnen noch etwas guthabe? Aber wer will das schon wissen? Kann ich ihn mal sehen?«

Bevor sie jemand daran hindern konnte, war sie bei der aufgedeckten Leiche. »Wie gräßlich!« flüsterte sie. »Und dieser Gestank! Es gibt wirklich nicht nur schöne Tote.«

Wie ein Geist flatterte sie wieder hinaus. Ganz ohne zu humpeln übrigens, wie Sina registrierte.

»Wer war das denn?« fragte Dr. Geyer perplex. »So eine verrückte Schachtel! Könnte fast wetten, Sie haben eine ganze Menge hier davon, habe ich recht? Ich beneide Sie wirklich nicht um den Job, den Sie hier zu machen haben, Frau Schnell!«

»Eine tolle alte Frau«, sagte Sina scharf. »Und eine große Künstlerin dazu. Eine von den ganz wenigen, die sich immer treu geblieben sind. Bis heute.«

»Und erst ihre Garderobe!« meldete Wally sich schwärmerisch zu Wort, der mehr als froh zu sein schien, endlich wieder etwas beitragen zu können. »Einfach nur noch beneidenswert!«

»Eines unserer ausgesprochenen Sorgenkinder«, erwiderte die Heimleiterin resigniert. »Manchmal weiß sie nicht einmal, welches Jahr wir gerade schreiben, geschweige denn, wo sie ist. Ich kann wirklich nicht sagen, wie lange wir sie noch behalten können. Dafür haben wir einfach nicht das notwendige Personal. Nicht für diese schweren Fälle. Die vom Kulturausschuß tun sich da leicht. Alles zu uns, egal, wie es dann aussieht! Aber wo sollte sie andererseits auch sonst hin? Allein kann sie nicht mehr leben, Angehörige hat sie meines Wissens keine, und in einem herkömmlichen Pflegeheim kann ich sie mir beim besten Willen nicht vorstellen.«

Dr. Geyers Neugierde war offensichtlich bereits befriedigt. »Kann ich mir irgendwo die Hände waschen?«

Er hatte den Toten wieder zugedeckt, ihm die Lider geschlossen und ging nun nach nebenan ins kleine Bad, um sich zu reinigen. Eugen Krumm benutzte die Gelegenheit, um noch einmal an der Decke zu zupfen, als sei er mit der bisherigen Anordnung nicht ganz zufrieden.

»Es muß doch würdig aussehen«, murmelte er. »Und wenn das auch das letzte wäre, was man für ihn tun könnte.«

Wally runzelte angestrengt die Stirn. »Du wirst dich noch in Teufels Küche bringen, Eugen«, wisperte er besorgt.

»Aber was soll ich machen? Wo du doch niemals auf mich hören willst!«

Der Bereitschaftsarzt kam zurück, öffnete seine schwarze Tasche und zog ein Formular heraus.

»Für den Totenschein fehlen mir noch ein paar Angaben.« Er zwinkerte Sina aufmunternd zu. »Wer von Ihnen hätte denn die Güte?«

»Ottfried Siegurd Maria Fürst, geboren am 12. August 1920 in Brünn«, sagte Maria Schnell wie aus der Pistole geschossen. »Ich habe mir gleich nach Ihrem Anruf alle notwendigen Daten rausgesucht. Aufgewachsen ist er aber in Berlin, und dort hat er auch Gesang studiert und die ersten Auftritte gehabt, bis er schließlich an die Bayerische Staatsoper gekommen ist. In ein paar Wochen wäre er achtundsiebzig geworden. Wie haben wir alle zusammen im letzten Jahr noch schön gefeiert!« Sie wandte sich zu Sina. »Ich nehme doch an, Sie als seine Anwältin werden die Erbschaftsangelegenheiten abwickeln?«

»Werde ich.«

»Denn da wäre ja auch noch der Sohn, den man schnellstens benachrichtigen müßte …«

»Ja«, sagte Sina, »leider. Wenn Sie das vielleicht übernehmen könnten?«

Maria Schnell nickte. An ihrem unglücklichen Blick erkannte Sina, wie wenig ihr an der Vertiefung einer Bekanntschaft mit Leander Fürst lag.

»Todesursache: akutes Herzversagen.« Geyer schrieb und schwitzte. »Als Folge einer koronaren Herzkrankheit. Zustand nach Bypass-Operation.« Er streckte Sina den Totenschein entgegen. »Von mir aus wäre die Angelegenheit dann erledigt. Das Beerdigungsunternehmen kann mit seiner Arbeit anfangen.« Er rümpfte leicht die Nase. »Höchste Zeit, wie mir scheint.«

»Nicht ganz so eilig«, sagte Sina und schlug die Decke noch einmal zurück. Wieder wurde der Gestank nahezu unerträglich. »Ich hätte da noch ein paar Fragen. Wie erklären Sie sich beispielsweise diese Leichenflecken an Knöcheln und Handgelenken, Herr Doktor Geyer?«

Krumm wurde noch blasser und sah auf einmal verfallen aus. Wally zupfte an seinem Plisseesaum.

Geyer schwieg zunächst betreten. »Das sind keine Leichenflecken«, sagte er schließlich.

»Sondern?«

»Irreversible Leichenflecken treten frühestens nach acht bis zehn Stunden auf«, dozierte er. »Zuvor kann höchstens von Blutstauungen die Rede sein.«

»Gut, dann eben Blutstauungen«, sagte Sina heftig, »wenn Sie Wert auf solche Spitzfindigkeiten legen. Jedenfalls muß

Herr Fürst an Händen und Füßen gefesselt gewesen sein«, fuhr sie etwas sanfter fort, »und zwar noch nach seinem Tod, sonst wäre es nicht zu solchen Malen gekommen. Das da an den Füßen könnte meiner Ansicht nach Klebeband gewesen sein. Am linken Bein ist nämlich ein bißchen von der Beschichtung zurückgeblieben. Und was die Handgelenke betrifft, so tippe ich auf die guten alten Handschellen.«

Herausfordernd schaute sie sich in der Runde um.

»Ich sehe aber nirgendwo Fesseln. Sie vielleicht? Nun, dann verraten Sie mir bitte mal, wie und auf welche Weise sich der Tote ihrer entledigt haben könnte.« Ihr Blick ging zu Krumm und Klier. »Außerdem entdecke ich nirgends seine Uhr. Cartier, und gut und gerne zwanzigtausend wert. Könnte durchaus sein, daß auch andere Wertgegenstände fehlen.«

Wally zog ein spitzes Mäulchen. Eugen Krumm starrte zu Boden. Maria Schnell hatte auf einmal brandrote Flecken auf den Wangen. Der Bereitschaftsarzt schaute drein wie ein gekochter Karpfen.

»Keine Ahnung«, sagte er leise. »Aber es gibt bestimmt eine plausible Erklärung dafür. Da bin ich ganz sicher.«

»Und die wäre?«

Keiner schien in der Lage, Sinas Frage zu beantworten.

»Um gleich mal einem Teil Ihrer Unterstellungen den Wind aus den Segeln zu nehmen«, sagte die Heimleiterin reserviert, »bei uns nimmt niemand einem anderen etwas weg. Erst recht nicht einem Toten. So etwas tut ein Künstler von Format nicht. Und von denen haben wir einige hier, täuschen Sie sich da bloß nicht! Dafür lege ich meine Hand ins Feuer.«

Schließlich räusperte sich Eugen Krumm und trat einen Schritt vor, aufgeregt und mit rotem Gesicht wie ein Schulbub, der sich freiwillig zum Rapport meldet, wenn der Lehrer einen Sündenbock sucht.

»Von der Uhr weiß ich nichts«, sagte er heiser. »Und großartige Kostbarkeiten habe ich bei den Fürsts nie gesehen, geschweige denn angerührt. Aber das andere ist ganz allein meine Schuld. Ich war es.«

»Weil er einfach zu gutmütig ist!« rief Wally erregt. »Die Gutmütigen sind letztlich immer die Dummen.«

»Nein«, widersprach Krumm, »weil ich ihn doch nicht blamieren wollte, den Ottl. Schon wegen seiner Lotte. Und wo er doch bereits zu Lebzeiten immer so ungeheuer genant gewesen ist.«

Zehn

Welche Sorgfalt verwendete ich jetzt auf einmal auf mein Äußeres!

Ich badete jeden Tag, bürstete meine Haare, bis sie glänzten, rieb meine Wangen, um sie praller und röter zu machen. Betupfte mich großzügig mit dem Lavendelwasser, das noch vom vorletzten Weihnachtsfest stammte. Aus dem Wildfang in Papas abgelegten Hosen war buchstäblich über Nacht eine junge Dame geworden, die am liebsten jeden Tag ein neues Kleid angezogen hätte, Stunden vor dem Spiegel verbrachte und höchstens ab und zu mit dem Schicksal haderte, weil es sie noch immer aussehen ließ wie einen Jungen mit Nippeln.

Auch die anderen auf dem Birkenhof bemerkten die geheimnisvollen Veränderungen, die sich mit mir vollzogen. Bobo zog jetzt den Hut, wenn er mir unterwegs begegnete, und veranlaßte, daß ich beim Abendessen ein halbes Glas Wein eingeschenkt bekam. Maman lachte, wenn sie mich bei meinen Selbstbetrachtungen fand, neckte mich liebevoll und erbot sich, mir mit Schals, Schleifen und Schmuck auszuhelfen, wie es unter Freundinnen üblich sei.

Riri beneidete mich natürlich glühend um all die Strümpfe, Schuhe und Schächtelchen, die auf einmal mein Zimmer füllten, aber ich wollte schon längst nicht mehr mit ihm teilen, sondern die ganze Pracht allein für mich behalten. Ich riß ihm den Tüll für mein erstes Abendkleid aus der Hand und warf ihn hinaus, was ihn dazu brachte, mir einen Stups zu versetzen.

»Das mach ich jetzt so lange, bis du wieder einigermaßen normal geworden bist«, lautete sein Kommentar.

Immerhin zog er ab und ließ mich in Ruhe. Zum Glück gab es Friedl, sommersprossig und zwei Jahre jünger als wir, der nun quasi meine verwaiste Stelle einnahm und ihm wie sein Schatten überall hin nachtrottete. Ich sah die beiden eigentlich nur zu den Mahlzeiten, während der mir der kleine, stämmige Sommergast ab und an über den Tellerrand übermütige Blicke zuwarf und fürchterliche Grimassen schnitt, die mich zum Lachen brachten – junge Dame hin oder her.

Der einzige, dem meine Metamorphose gänzlich zu mißfallen schien, war Papa. Sein Blick bekam etwas Eisiges, wenn er mich in meiner neuen Ausstaffierung zu Gesicht bekam, sein Ton wurde streng.

»Ich habe ein kluges, besonnenes Mädchen aufgezogen und keine Modepuppe«, sagte er. »Du warst immer so ganz anders als all die hirnlosen Gänschen ringsumher, stolz und frei und unabhängig. Schade, daß du jetzt auf einmal so schlau wirst bei Sachen, Rita, auf die es ganz und gar nicht ankommt. Du wirst es merken, da bin ich mir ganz sicher. Laß uns beide hoffen, daß es dann nicht schon zu spät ist!«

Ich zuckte die Achseln. Was redete er bloß?

»Ein Vater sollte doch eigentlich alles über sein Kind wissen, meinst du nicht? Wenn du mir etwas zu sagen hast, Rita, wenn es irgendwelche Probleme gibt, bei denen ich dir helfen kann, ich bin immer für dich da. Bitte, vergiß das nicht!«

Ich hörte nicht einmal genau hin. Meine Gedanken waren bei Jean. Ihm schien es schon zu genügen, ab und an in meiner Nähe zu sein, ich aber wollte mehr.

Wollte endlich alles.

✦

Wir hatten uns zu später Stunde im Bootshaus am Weiher verabredet. Und er war zu meinem grenzenlosen Entzücken bereits da, als ich barfuß heranschlich. Eine warme, samtige Nacht, wie geschaffen für die Liebe. Unser Flüstern verschmolz mit dem Chor der Grillen, dem Glucksen des Wassers. Irgendwo knackte ein Zweig, was ich instinktiv registrierte, dann jedoch geschahen andere Dinge, die mich weitaus mehr fesselten.

Es war wie in meinen allersüßesten Träumen, genauso wie ich es mir sehnsuchtsvoll ausgemalt hatte, wenn Herz und Haut sich gänzlich in Liebe verlieren. Er vergrub seinen Mund in meinem Haar, preßte mich eine ganze Weile ganz fest an sich. Dann küßte er mich.

Und ich küßte voller Inbrunst zurück.

Unsere Hände wurden allmählich so ungeduldig wie unsere Zungen. Die Hitze seiner Haut, noch vom Hemd bedeckt, erstaunte und faszinierte mich. Er öffnete nach und nach alle Knöpfe meines Kleides, liebkoste mich vom Hals bis zum Bauch. Dann drehte er mich langsam um. Ich zitterte vor Erregung, spürte, wie etwas Hartes ungestüm gegen meinen Schenkel stieß.

»Ja«, flüsterte ich. »Ja, ja – endlich!«

Plötzlich hielt er inne. Ohne seine Berührung fühlte ich mich schutzlos und verlassen.

»Was ist, Jean?« Wieder drängte ich mich gegen ihn. »Was hast du? Sag es mir!«

»Ich kann nicht. Wir hätten uns nicht verabreden sollen. Ein Fehler, Rita, ein geradezu unverzeihlicher Irrtum. Das weiß ich jetzt. Bitte, verzeih mir! Es wird nicht wieder vorkommen.«

»Aber natürlich wird es das. Weil ich dich liebe, Jean! Nur dich! Dich allein!«

Die reine Wahrheit. Was mich mit ihm verband, war keine Backfischschwärmerei, sondern ein tiefes Gefühl, weit entfernt von dem, was sich für gewöhnlich auf der Zwischenstufe zwischen Kind und Frau abspielt.

»Es darf trotzdem nicht sein. Schließlich bin ich einer, der nichts als Scherereien macht. Der nichtsnutzige kleine Bruder deines Vaters. Und damit euer leiblicher Verwandter, Richards und dei-

ner.« Er lachte unfroh. »Ein Onkel – als ob mir das zu allem nicht noch gefehlt hätte!«

Ein leiser Nachtwind hatte sich erhoben, der die Wellen des Wei- hers kräuselte. Im Wasser treiben, dachte ich in kristallener Klarheit, die uns manchmal überkommt, wenn wir besonders glücklich oder gänzlich am Boden zerstört sind, nichts mehr fühlen und endlich für immer in Frieden sein.

Manchmal frage ich mich noch heute, ob das nicht ein erstre- benswertes Ende gewesen wäre – für ihn. Für mich.

»Und wenn schon!« Ich hatte mich mit großer Anstrengung aus meiner elegischen Stimmung von eben gelöst, war nun offene Rebellion. »Was gehen mich irgendwelche verstaubte Moralvor- schriften an! Onkel, Nichte, Vater, Bruder, das ist mir piepegal. Sollen andere danach leben – nicht wir!« erwiderte ich zornig. »Und was deine Amelie betrifft ... «

»Laß Amelie aus dem Spiel! Sie ist ein Engel, das Beste, was mir in meinem angefressenen Leben jemals passiert ist. Ich dulde nicht, daß irgend jemand schlecht über sie redet.«

Für einen Moment war er richtig böse geworden. Dann glätteten sich seine Züge wieder, und ich merkte, daß er nach Worten rang.

»Du kennst mich doch gar nicht, Rita. Ich meine, nicht wirk- lich. Du hast nicht die geringste Ahnung, wer ich bin.«

Ein einfaches Gesetz. Wenn man die Wahrheit sagt, macht man immer auch ein Geständnis. Kein Geständnis, keine Wahrheit. Damals wollte ich sie nicht hören, sie nicht einmal zu nahe an mich heranlassen.

»Natürlich weiß ich, wer du bist«, widersprach ich. »Und zwar ganz genau.«

»Und zwar?« Es klang lauernd.

»Der schönste Mann, den ich jemals gesehen habe. Und der klügste und liebste dazu.«

Er lachte abermals erstickt und ließ sich auf die kleine morsche

114

Bank fallen, die nach Schlick und Wasser roch und nach den nassen Badeanzügen, die immer ein bißchen eklig auf der Haut waren, wenn man sie zu lange anließ. Jean schlug die Hände vor das Gesicht. Als er sie wieder löste, stockte mir für einen Moment der Atem. Es war Vollmond, hell genug jedenfalls, daß ich ihn sehen konnte. Da war auf einmal nichts mehr von der Anmut, mit der er die ganze Welt verrückt machte.

Leidend sah er aus, verfallen und unendlich müde.

Augenblicklich litt ich mit ihm, und tiefes Mitgefühl erfüllte mein Herz.

»Hör auf!« sagte er bittend. »Und lauf schnell weg, solange es noch nicht zu spät ist! Ich tauge nichts, Rita. Das mußt du mir glauben. Allen, die sich in die Vorstellung verrannt haben, mich zu lieben, bringe ich nur Unglück.«

»Und wenn schon! Außerdem redest du nichts als Unsinn. Mir bringst du Glück, ich weiß es!«

»Ach, mein Mädchen, ich muß dir leider all deine Illusionen rauben. Du hast dich schlicht und einfach in einen …«

Ein Schatten ging über sein Gesicht.

»Kann ich irgend etwas für dich tun?« wisperte ich. »Alles, was immer du willst. Und wenn es der Mann im Mond wäre – ich hol ihn dir. Du mußt es nur sagen.«

»Du bist so süß«, flüsterte er zurück. »So jung. So ganz. Ich hab deine Liebe gar nicht verdient.«

»Doch, das hast du! Und wenn du willst, kannst du alles haben – hier!«

Was muß ich für ein Bild geboten haben, kniend vor ihm, mit geöffnetem Kleid, meinem keuschen Baumwollschlüpfer und den kleinen, frierenden Mädchenbrüsten! Damals war mir alles egal. Schamlos war ich, zitternd vor Ungeduld, und ich verzehrte mich lediglich nach der Wärme seiner Finger auf meiner Haut.

»Findest du mich schön?« flüsterte ich. »Bin ich schön, Jean?«

115

Ich weiß nicht einmal, ob ich wirklich mit einer Antwort rechnete. Und er blieb sie mir tatsächlich schuldig.

»Ich bin ein Nichts, Rita, ein Feigling, nur ein ganz gewöhnlicher ...«

Meine Lippen verschlossen sanft seinen Mund.

»Schluß damit«! befahl ich lächelnd. »Die Nacht ist viel zu schön, um dich so zu quälen. Und mich stimmst du sowieso nicht um – keine Chance. Was ist, Jean? Kein Wunsch? Nicht ein allereinziger?«

Er schwieg eine ganze Weile. Seine Stimme war gedämpft, als er endlich antwortete. »Versprich mir, daß du nicht traurig sein wirst! Was immer auch geschieht.«

Ich nickte.

Woher sollte ich damals wissen, daß er Unmögliches von mir verlangte?

»Und weiter? Was noch?« drängte ich ihn.

»Geh nicht weg«, sagte er tonlos. »Versprich mir, daß du nicht weggehst!«

◆

Nein, ich bin nicht weggelaufen, Jean. Nicht in jener Nacht, und auch nicht später, als alles machtvoll seinem verhängnisvollen Ende zustrebte. Daher rührt es wohl, daß unsere Seelen für immer unentwirrbar miteinander verknüpft bleiben sollten. Auch als ich ein paar Wochen später weinend an deinem Grab gestorben bin, habe ich standgehalten.

Zu welchem Preis allerdings, mein inniglich Geliebter!

Denn seitdem man das, was von dir übriggeblieben war, in das tiefe, dunkle Loch gesenkt hat, tue ich nur so, als sei ich noch am Leben.

Elf

Mein Vater wird nicht obduziert!«

Mit hochrotem Kopf stürzte Leander Fürst in Sinas Büro. Sie starrte noch immer reichlich verwundert auf das Brettergestell, das gerade wie Unkraut vor dem Fenster emporwuchs. *Anton Peiniger* stand in dicken grünen Lettern auf dem Querbalken, der ihr in Augenhöhe die Sicht nach draußen versperrte. *Gerüstbau. Preiswert. Zuverlässig. Schnell.*

Sina ließ sich Zeit, bis sie sich umdrehte.

»Wie konnten Sie als seine Anwältin so etwas überhaupt zulassen? Pfusch nenne ich das, jawohl, groben Pfusch! Und sorgen Sie schleunigst dafür, daß ich in die Wohnung meines Vaters kann. Ich dachte vorhin, mich trifft der Schlag, als ich die gottverdammten Bullensiegel an der Tür gesehen habe. Um ein Haar hätte ich sie runtergerisssen, so wütend war ich.«

»Das wäre dann Siegelbruch«, kommentierte Sina ungerührt, »und wird mit Geld- beziehungsweise Freiheitsstrafe geahndet.« Sie hatte zwei Tassen Kaffee vollgegossen und reichte ihm eine davon. »Milch? Zucker? Steht alles auf dem kleinen Tisch dort drüben.«

Er kniff die Augen zusammen, und für den Bruchteil einer Sekunde hatte sie die Vision, er würde ihr die Tasse aus der Hand schlagen. Aber schließlich schien er sich anders zu besinnen.

»Schwarz.« Ein dünnes Lachen. »Wie meine Seele.«

Sina nahm einen Schluck. Auf dem Gerüst draußen hatten

die Bauarbeiter offenbar auch gerade eine Pause eingelegt. Und es war nicht zu überhören, wie sie sich lautstark miteinander unterhielten.

»Toni, wia lang moanst, dauert des mit dene Fenster?«

»Schwer zum Sagn«, kam nach einigem Zögern die Antwort. »Vier, fünf Wocha mindestens. Kummt drauf o, wia schnell die's überhaupts herkriagn. Kannst di noch an den Auftrag beim Oberleiter erinnern?«

»Ja, freilich. Lucile-Grahn-Straße 25.«

»Des warn mehr wia drei Monat.«

»Geh weida! So lang?«

»Glaubst vielleicht, ich verzähl an Schmarrn? Na oiso!«

»Die Obduktion ist Teil der Ermittlung seitens der Staatsanwaltschaft«, sagte sie äußerlich ruhig, »und zudem längst in vollem Gang. Da gibt es nichts zu verweigern. Weder von liebenden Angehörigen«, ihr Spott war unüberhörbar, »noch von den allerpatentesten Rechtsanwälten. Was die versiegelten Räume betrifft, so können Sie mit einer Freigabe rechnen, sobald die Spurensicherung ihre Arbeit beendet hat. Allerdings beginnen morgen die Pfingstferien. Die einzige Chance für die arbeitende Bevölkerung Bayerns, günstigen Urlaub in der Vorsaison zu machen. Damit geradezu ideal für unterbezahlte Beamten im Polizeidienst.« Sie lächelte maliziös. »Was die Angelegenheit erfahrungsgemäß nicht eben beschleunigen dürfte. Sonst noch Fragen? Dann entschuldigen Sie mich jetzt bitte. Ich habe eine Menge zu tun.«

»Sie mögen mich nicht.« Er hatte die Tasse abgestellt und war ein Stück näher gekommen. Man sah ihm an, daß er wenig geschlafen und einiges getrunken hatte. Und man roch es auch. »Und deshalb unterstellen Sie mir, ich hätte zum Ableben meines werten Herrn Papa aktiv beigetragen. Ich wette, den Bullen haben Sie ebenfalls davon erzählt.

Denn deshalb wird er doch aufgeschnitten und halb ausge-
weidet! Weil Sie von keiner natürlichen Todesursache ausgehen.«

»Ich bin weder Pathologin noch im Team der zuständigen
Mordkommission. Mir sind lediglich im Zusammenhang
mit dem Tod des Kammersängers einige Ungereimtheiten
aufgefallen.« Sina sah keine Notwendigkeit, ihn über die
fehlende Uhr oder die Fesselungen zu unterrichten. »Eine
abschließende Meinung bilde ich mir grundsätzlich erst,
wenn alle Fakten auf dem Tisch liegen. Warten wir also die
Ergebnisse der Obduktion ab!«

»Also tatenlos herumsitzen? Sie vielleicht. Ich nicht!«

»Ich arbeite hier, falls Ihnen das noch nicht aufgefallen
sein sollte, und in der Regel viel zuviel. So besteht beispielsweise zwischen Ihrem Vater und mir seit rund sechs Jahren
ein Geschäftsbesorgungsvertrag, der laut Gesetz durch seinen Tod nicht automatisch erlischt. Es sei denn, Sie kündi-
gen das Mandat. Was Ihnen natürlich freisteht. Denken Sie
in Ruhe darüber nach, und lassen Sie mich anschließend
Ihre Entscheidung wissen!«

Sina beugte sich über ihre Akten und ließ keinerlei Zweifel
daran, daß sie die Unterhaltung für beendet hielt.

Leander Fürst jedoch rührte sich nicht von der Stelle.

»Immer habe ich davon geträumt, aus einer anderen Familie zu stammen«, sagte er leise. »Und mir lange Zeit vorgestellt, ich wäre gar nicht sein Sohn, sondern das Kind aus
einer Affäre meiner Mutter mit einem mysteriösen Unbekannten. Ein Friseur, ein Polizist, ein stinknormaler Ange-
stellter, ganz egal. Alles wäre mir recht gewesen. Ein Mann
jedenfalls, den ich hätte lieben können. Und der mich geliebt hätte, schon einfach deshalb, weil ich sein Sohn bin.
Später dann, als ich älter wurde, war ich von dem Gedanken besessen, auszuwandern und alles für immer hinter

mir zu lassen.« Wieder sein hohes, unglückliches Lachen. »Na ja, bis auf die Kanaren habe ich es ja immerhin geschafft. Auch schon was.«

Allmählich hatte sie endgültig die Nase voll. »Herr Fürst, wenn Sie jetzt nicht endlich mein Büro verlassen, dann sehe ich mich gezwungen …«

»Deshalb will ich, daß er endlich verbrannt wird und unter die Erde kommt, verstehen Sie? Damit dieser Spuk ein für allemal aufhört. Ich bin zweiundvierzig. Finden Sie nicht, daß ich auch ein Recht auf mein Leben habe?«

»Und finden *Sie* nicht, daß es ein bißchen billig ist, das von einem Toten einzuklagen?« Inzwischen war sie nicht nur sauer, sondern richtig empört. »Wer hindert Sie eigentlich daran, wenn nicht Sie selber? Oder geht es Ihnen nicht vor allem um das Erbe, das Sie so hurtig wie möglich antreten wollen, nun, nachdem beide Eltern gestorben sind?«

»Jetzt ist es mein Geld«, sagte er heiser. »Und niemand kann mir mehr etwas davon nehmen.«

Das Telefon begann zu läuten. Sonst oft eine Zumutung, in dem Moment empfand sie es jedoch als Befreiung.

»Teufel.«

»Sina, ich bin's, Carlo. Wo steckst du eigentlich? Nie bist du da, wenn man dich mal braucht! Dabei habe ich hier einen superspannenden Fall am Köcheln, mit allem Drum und Dran. Ein bißchen was hab ich dir ja bereits neulich am Telefon angedeutet, aber beileibe noch nicht alles.«

Sie setzte ein geschäftsmäßiges Gesicht auf. »Ich höre. Und könnte gespannter kaum sein.«

»Der Wein ist falsch!«

»Wie bitte? Ich verstehe nicht ganz.«

»Und dabei soll ich angeblich der sein, dessen Gedächtnis immer mehr einem Sieb ähnelt? Da kann ich ja nur lachen! Der Tignanello, Sina, den wir neulich getrunken haben. Vor ein paar Tagen war es nur eine Vermutung, jetzt aber bin ich mir absolut sicher. Ich war heute noch einmal im Lokal, du weißt schon, mit meiner Flasche aus den alten und damit echten Beständen und einer Lupe, und ahnst du schon, was jetzt kommt? Das Etikett ist imitiert. Gar nicht schlecht gemacht, aber eben doch imitiert. Was sagst du jetzt?«

»Ein eindeutiger Fall von Markenpiraterie, dem man unbedingt nachgehen muß«, sagte sie todernst. »Und alles andere als ungefährlich. Nur keine übereilten Entschlüsse, Doktor van Rees! Bleiben Sie, wo Sie sind! Ich komme, so schnell ich kann.« Sie hielt die Hand über die Muschel. »Sie hören ja, Herr Fürst, ich muß jetzt leider wirklich dringend ...«

»Bist du krank, Sina?« quäkte Carlo am anderen Ende. »Wieso siezt du mich denn plötzlich?«

Sie atmete tief durch, als Leander Fürst endlich das Zimmer geräumt hatte. »Weil ich gerade ein echtes Ekelpaket loswerden mußte, darum. Wir sehen uns heute abend, ja? Sagen wir gegen acht? Und dann bringst du dein aufregendes Corpus delicti einfach mit. Jedenfalls danke ich dir, alter Freund!«

»Und wofür? Ich versteh nur Bahnhof, Sina.«

Sie legte lächelnd auf. Dann ging sie hinaus ins Sekretariat. »Die Belagerung hat offenbar bereits eingesetzt«, sie wies auf das Gerüst. »Einen guten Monat früher, als ausgemacht. Kann mir jemand von den Damen mal freundlicherweise verraten, weshalb?«

Ein dunkler, ein rotblonder und ein leuchtendblauer Kopf fuhren auseinander. Alle drei waren über Jacky gebeugt gewesen, der eingekringelt auf einem Bürostuhl lag und mitgenommen aussah. Unter ihm ein stolzes Häufchen Erbrochenes, was Sina großzügig übersah. Hanne wurde an diesem Morgen operiert. Darauf kam es an, und auf sonst nichts.

»Typisch Tarantel!« flötete Tilly Malorny. »Die hält sich doch niemals an das, was vereinbart ist.«

Tarantel war der wenig schmeichelhafte Spitzname, unter dem die Kanzlei Teufel & Bromberger die Hauseigentümerin intern führte. Seitdem Sylvia Taranella das Haus von ihrer Tante geerbt hatte, einer freundlichen, alten Dame, mit der alle bestens ausgekommen waren, hatte sich einiges verändert. Dazu zählten nicht nur die zügigen Mietsteigerungen, die sie vorgenommen hatte, so weit sich der gesetzliche Rahmen nur dehnen ließ, sondern auch ein jäher Verfall der Umgangsformen. Plötzlich gab es eine Neuverteilung der Keller zu ihren Gunsten, eine umständlich zu handhabende Schließanlage, die Haus und Tiefgarage in eine Art Festung verwandelt hatte, sowie eine Fülle weiterer Schikanen. Entnervt hatten die ersten Parteien bereits das Weite gesucht und die zurückgebliebenen sich unter anderem an Sina V. Teufel mit der Bitte gewandt, sie anwaltlich zu vertreten. Was verständlicherweise Sinas Verhältnis zu Frau Taranella nicht eben inniger gemacht hatte.

»Die einzige, die noch halbwegs mit ihr auskommt, ist doch ohnehin Frau Bromberger«, fuhr Tilly fort. Ihrer sanft vibrierenden Stimme war anzuhören, wie sehr sie Alltagsdramen dieser Art in Wahrheit liebte. »Und die ist ja im Moment nicht da.«

Offiziell war Hanne auf einer Dienstreise nach Wien. Sina hatte ihr den Vorwand ausreden wollen, sie jedoch bestand darauf: »Unsere Mädels erfahren es ohnehin noch früh genug. Und dann löchern sie mich aus lauter Mitgefühl von früh bis spät. Wie soll ich das aushalten, kannst du mir das mal verraten? Ich muß doch erst einmal selber damit klarkommen.«

»Ab übermorgen geht es dann auch noch hier bei uns los. Sie wissen schon, unsere beiden Toiletten, die es dringend nötig haben«, ergänzte Marina König und rollte ihre Kirschaugen in gespielter Verzweiflung. »Und dem ollen Teppichboden im Flur geht es an den Kragen, den Paula so begeistert angeknabbert hat. Jetzt kriegen wir endlich das schicke Parkett, das wir schon immer wollten.«

»Allerdings nicht ohne Wermutstropfen: Herr Gschwell leitet die Bauarbeiten«, steuerte Anke boshaft bei.

»O nein!« riefen die anderen im Chor. »Bitte nicht!«

»Aber logo!« bekräftigte Anke. »Die Tarantel hat es mir gesteckt, als ich sie heute früh im Lift getroffen habe. Er will gegen Mittag vorbeikommen, um sich alles noch einmal in Ruhe anzusehen. Wahrscheinlich führt er sich nach fünf Minuten wieder auf wie Rambo höchstpersönlich.«

Der präpotente Handyträger Gschwell war ein kräftiger, rotblonder Mann mit einem unverkennbaren Faible für strammsitzende Jeans, der seit ein paar Monaten nicht mehr von Sylvia Taranellas Seite wich. Angeblich, um ihr bei den Bauarbeiten mit fachlichem Rat beizustehen, in Wahrheit beglückte er sie jedoch offenbar mit ganz anderen Fähigkeiten. Was niemanden etwas angegangen wäre, hätten die beiden nicht ein ebenso dümmliches wie durchschaubares Spiel gepflegt. So kamen sie stets in zwei Autos an, damit ja keiner Verdacht schöpfte, und sie siezten sich im Beisein Dritter penetrant, um jedoch sofort übereinander herzufallen, sobald sie sich allein im Keller wähnten oder die Türen des Aufzugs sich hinter ihnen schlossen. Vor allem jedoch benützte Gschwell seine Position, um sich den Mietern gegenüber als eigentlicher Oberboß aufzuführen, ein Podest, von dem Sina ihn schon mehr als einmal unsanft heruntergeholt hatte. Mittlerweile war sie ein rotes Tuch für ihn, und sie war sich sicher, daß er sie aus

der Tiefe seines testosteronverseuchten Herzens verabscheute.

»Ich fliehe!« sagte sie. »Diesem aufgeblasenen Idioten soll
standhalten, wer will – ich jedenfalls nicht. Und rechnet
lieber vor vier Uhr nicht mehr mit mir! Ach, was sage ich?
Rechnet heute lieber überhaupt nicht mehr mit mir!«

»Und die Mandanten?« rief Anke ihr hinterher. »Was soll
ich denen sagen, wenn sie nach dir fragen?«

»Ich bin sicher, dir fällt genau das richtige ein. Und wenn
nicht, dann schickst du sie eben in den Biergarten.«

Sina packte Aktentasche und Handy und verschwand pfei-
fend aus der Tür. Fassungslos sahen die drei Frauen ihr
hinterher.

»Typischer Fall von Renovierungskoller.« Tilly, die niemals
lange stumm bleiben konnte, fand als erste die Sprache
wieder. »Ich kenne das. Kommt gar nicht so selten vor.
Eine Nachbarin von mir kriegt schon Schreikrämpfe, wenn
sie einen Installateur nur von weitem sieht. Eine andere
augenblicklich die schwerste Migräne, wenn etwas im
Haushalt kaputtgeht und sie einen Handwerker rufen
muß.«

»Und natürlich überlastet wie immer«, bemerkte Marina
mitleidig. »Jetzt, wo nicht einmal Frau Bromberger als
Blitzableiter parat ist.«

»Und wenn das ansteckend ist?«

Für einen Moment machten Tilly und Marina entsetzte Ge-
sichter. Dann jedoch war es Anke, die kreischend vor den
Hieben und Püffen der anderen beiden in die Küche fliehen mußte.

✦

Sina fuhr beschwingt durch eine heiter anmutende Stadt, die mit strahlendblauem Himmel und dem unvergleichlichen Licht des jungen Sommers ihrem Ruf als nördlichste Bastion Italiens alle Ehre machte. An solchen Tagen war es nicht schwierig zu verstehen, weshalb der hiesige Freizeitwert beständig stieg und der Zuzug aus anderen Teilen Deutschlands noch immer beachtlich anhielt. An solchen Tagen verfiel auch Sina ihrem München ohne Wenn und Aber. Die Maximilianstraße mit ihren historistischen Bauwerken war wie blank poliert, und als sie die baumbestandene Anhöhe hinauf nach Haidhausen kam, stellte sie fest, daß sich die Anzahl der Straßencafés mit ihren bunten Sonnenschirmen und kleinen Bistrotischen auf dem Bürgersteig von Jahr zu Jahr zu verdoppeln schien. Zu ihrem Erstaunen gelang es ihr sogar, in der Nähe des Pariser Platzes einen regulären Parkplatz zu ergattern. Sie gönnte sich zwei Kugeln Pistazieneis im »Venezia«, in dem sie schon als Kind am liebsten Süßes geschleckt hatte, und schlenderte zu dem vierstöckigen Haus, in dem sich die Arztpraxis Fallensteins befand.

Zwischenzeitlich waren die Auseinandersetzungen zwischen Dr. Antonia Frisch und ihrem alten Vorgänger in einen grotesken Grabenkrieg gemündet. Eigentlich war nach einigem Hin und Her ein Ortstermin zwischen beiden Parteien vereinbart gewesen. Als jedoch eine verschreckte Sprechstundenhilfe in mittleren Jahren die Tür geöffnet hatte, fand Sina die Praxis leer und die junge Ärztin in heller Auflösung. Garderobenhaken waren halb aus der Wand gerissen, der Schirmständer wie nach schweren Kämpfen verbeult. Überall auf dem abgetretenen Linoleum lagen Glassplitter herum; in den beiden angrenzenden Behandlungsräumen türmten sich in buntem Durcheinander medizinische Wälzer auf dem Boden.

»Was war das denn hier? Eine Art Bombenangriff?« Sina
tat leid, wie blaß und elend ihre Mandantin aussah.

»Das kann man wohl sagen! Fallenstein hat vorhin total die
Nerven verloren, getobt, geschrien und mit allem um sich
geworfen, was ihm in die Finger kam. Mich hat er abscheulich beschimpft. Und die Patienten nach Hause geschickt –
die wenigen, die sich überhaupt noch hierher trauen bei
der miesen Stimmung, die in der Praxis herrscht. Bis er
schließlich mit stolzgeschwellter Brust wie ein siegreicher
Feldherr das Schlachtfeld verlassen hat – Cäsar beim Galli-
enfeldzug war ein Dreck dagegen.«
Sie schniefte.

»Das steh ich nicht mehr lange durch, Frau Teufel, ehrlich!
Er blüht auf, wenn er mich fertigmachen kann, und ich
vermag anschließend die ganze Nacht vor Wut kein Auge
zuzutun. Noch ein paar von diesen Auftritten, und ich bin
reif für die geschlossene Abteilung.«

»Und das lassen Sie sich gefallen? Von einem frauenfeind-
lichen alten Sack mit krummen Touren, der Sie nach
Strich und Faden betrogen hat?«

»Was soll ich denn machen? Ihn mit dem Skalpell bedrohen? Oder mit gezückter Spritze auf ihn losgehen? Diesem
Sturkopf bin ich einfach nicht gewachsen!«

»Unsinn! Natürlich sind Sie das. Und außerdem gehört die
Praxis Ihnen, schon vergessen? Wir erteilen ihm jetzt erst
einmal Hausverbot, dann kann er zusehen, wo er mit seiner wertvollen Praxiszulassung bleibt. Ist ja wirklich nicht
zum Mitansehen, was hier abgeht!«

»Meinen Sie, er hält sich daran?«

»Und ob ich das meine!« Sina lachte. »Bleibt ihm nämlich
erst mal gar nichts anderes übrig. Und Sie werden sich ab
sofort taktisch klug verhalten und vor allem Ruhe und Gelassenheit bewahren. Grund dazu haben Sie. Denn wir bei-

de werden dem werten Doktor Fallenstein noch ein paar nette juristisch fundierte Überraschungen bereiten – kommen Sie!«

Die Sprechstundenhilfe hatte sich zwischenzeitlich wieder gefangen und bereits neugierig genähert. »Frau Doktor, wenn ich vielleicht etwas für Sie tun kann ...«

»Und zwar unter vier Augen – ungestört!«

Sina zog energisch die Tür hinter sich und Antonia Frisch zu.

Zwölf

Die Mittagsruhe war längst vorüber, als sie schließlich im Oskar-Maria-Graf-Domizil eintraf. Nach griechischem Salat und knusprigem Tintenfisch vom Grill, wozu Antonia Frisch sie im romantisch bewachsenen Innenhof des »Kytaro« eingeladen hatte – fast schon so etwas wie eine Haidhauser Institution, die seit Jahrzehnten die Portionen konstant groß und die Preise erfreulich niedrig hielt –, hatte Sina im Krankenhaus angerufen und, wie schon befürchtet, so gut wie nichts erfahren.

Der Patientin gehe es den Umständen entsprechend. Nichtssagender konnte eine Auskunft kaum sein.

Sie ist bestimmt ganz in Ordnung, versuchte Sina sich selber Mut zu machen. Eine Routineoperation, wie sie jeden Tag gemacht wird. Trotzdem blieb da ein flaues Gefühl, das sich auf logische Art nicht erklären ließ. Wahrscheinlich weil Hannes merkwürdige Geheimhaltungstaktik allmählich auch schon auf sie abzufärben begann. Oder weil die Angst der Freundin ihre Angst um diese noch verstärkt hatte. Natürlich hätte sie sich am liebsten mit eigenen Augen von Hannes Befinden überzeugt. Aber vor dem nächsten Morgen wollten sie partout keinen Besuch zu ihr lassen. Die Stimme der Stationsschwester war rauh geworden, als sie Sina verboten hatte, heute schon zu kommen – ein böses Omen?

Wenn sie wenigstens hätte rauchen können! In Momenten der Anspannung wie eben fehlte ihr das gewohnte Gift ganz besonders.

Ein paar Bewohner des Domizils saßen im Garten auf bunt gestrichenen Bänken, andere hatten sich in der Eingangshalle niedergelassen, wo sie in Zeitschriften blätterten, sich unterhielten oder nach draußen starrten. Eugen Tobias Krumm dagegen, sonst einer der fleißigsten Spaziergänger, traf sie in seinem Zimmer an. Es war deutlich kleiner als das von Henny Waldheim oder gar das Appartement der Fürsts, ein einziger, überladener Raum, den die dunklen Möbel noch enger erscheinen ließen. Trotzdem strahlte das Zimmer Gemütlichkeit aus, mit seinem Leuchtglobus auf dem schweren Schreibtisch, den Wänden voller Bücher, Karten und Atlanten und den zahlreichen Schiffsnachbildungen, die Krumm aus Streichhölzern in mühevoller Kleinarbeit gebastelt hatte.

Er lächelte, als er sie sah, bereitete einen scheußlichen koffeinfreien Nescafé und nötigte sie, auf dem einzig bequemen Sessel Platz zu nehmen, während er mit einem verbeulten Klappstuhl vorliebnahm. Keine zwei Minuten später erschien Wally, diesmal von Kopf bis Fuß in gewagtem Pink.

»Ich bin richtig böse auf Sie, Herr Krumm«, sagte Sina streng. »Hören Sie endlich auf, mir etwas vorzumachen! Ich weiß nämlich ganz genau, daß Sie mehr über Ottfried Fürst wissen, als Sie bisher verraten haben – sogar viel mehr.«

»Das hat die Polizei auch behauptet. Keine besonders freundlichen Herren übrigens. Und welche Fragen die mir gestellt haben! Als ob ich ein Totschläger wäre oder wenigstens ein Dieb. Einfach unmöglich!«

»Das kann man wohl sagen!« Walter Klier plusterte sich so auf, daß die Marabufedern an seinem Kleid ein geheimnisvolles Eigenleben zu führen begannen. »Nicht die Spur von Kinderstube. Und das meinem Eugen, der in seinem

Leben keinem anderen je auch nur ein Härchen ge-krümmt hat! Außerdem haben diese ›Herren‹ eine so ge-pflegte Erscheinung wie mich wohl auch schon sehr lange nicht mehr gesehen.«

Nachdem sich Hauptkommissar Fiedler als Frührentner an die Algarve zurückgezogen hatte, war Joseph Bierl auf sei-nen Sessel in der Mordkommission nachgerückt. Kein ge-mütvoller Bonvivant mit einem Faible für Kakteen wie sein Vorgänger, sondern ein magerer, eher humorloser Lang-streckenläufer, der wenig Verständnis für die Psyche poten-tieller Verdächtiger oder verbockter Zeugen aufzubringen vermochte.

»Was haben Sie ihnen denn geantwortet?«

»Beurteile nie einen Menschen, bevor du nicht mindestens einen Monat lang seine Mokassins getragen hast.« Krumms Miene war ganz bedrückt geworden. »Sagen Sie, ist er wirk-lich ermordet worden?«

»Ja, das würde mich auch brennend interessieren«, flötete Wally. »Und natürlich, falls ja, wer als Mörder in Betracht kommt.«

Es hatte wenig Sinn, den beiden zu antworten, bevor die Obduktionsergebnisse vorlagen. Sina konnte schon froh sein, daß es ihr überhaupt gelungen war, Staatsanwalt Hugo Hartl von der Notwendigkeit einer gerichtsmedizini-schen Untersuchung zu überzeugen. »Wir müssen abwar-ten«, erwiderte sie deshalb, »und in der Zwischenzeit alle Fakten zusammentragen, damit die Wahrheit ans Licht kommt.«

»Wieso den Toten eigentlich nicht ruhen lassen? Fürst hät-te es wahrlich verdient. Er war ein alter Künstler, der nur schwer damit zurechtkam, daß nichts mehr in seinem Le-ben wie früher war. Irgendwie müssen wir uns alle damit abfinden, aber manchen fällt es eben schwerer als den anderen. Sie wissen schon, was ich meine, die Öffentlichkeit, das Geld, der Ruhm ...«

Krumm stand auf, nahm seine ruhelose Wanderung wieder auf. Wally trippelte hinterher.

»Und die Frauen. Das wollten Sie doch sicherlich noch anfügen.«

»Ja, die Frauen!« Er blieb plötzlich vor ihr stehen. Seine Stimme bekam einen rauhen Unterton. »Natürlich die Frauen. Ist doch etwas ganz Normales wie Atmen, Essen und Trinken, das aus unerfindlichen Gründen mit einem Mal nicht mehr schicklich erscheint, nur weil man ein paar Falten mehr hat und schlechter hört. Wer nicht jung sterben will, muß alt werden. Aber ohne Liebe? Wenn einen nie mehr jemand anfaßt, nie mehr streichelt, niemals erregt? Das ist doch kein Leben – das nenne ich lediglich Vegetieren!« Er hielt inne und massierte sich gedankenverloren den dünnen Hals.

»Schön hast du das formuliert, mein Eugen«, flüsterte Wally hingerissen, »wunder-, wunderschön! Ich wünschte bloß, du wärst nicht so unbelehrbar hetero!«

»Und Ottfried Fürst wollte nicht vegetieren«, fuhr Sina mit ruhiger Stimme fort.

»Wer will das schon?« entgegnete der alte Schriftsteller. »Sie vielleicht?«

»Ja, genau!« In Wallys Augen schimmerten Tränen. »Für unsereinen ist das mit dem Altwerden sogar noch schwieriger. Wenn ich meinen Eugen nicht hätte – aus dem Fenster gestürzt hätte ich mich schon, und das nicht nur einmal!«

Sina schaute das ungleiche Paar voller Sympathie an. Was immer die beiden auch verband, sie hatten großes Glück, sich gefunden zu haben.

»Tut mir leid.« Krumm nahm wieder seinen unbequemen Platz ein. »Aber bei dem Thema könnte ich jedesmal die

Wände hochgehen. Ja, Fürst *war* ein Frauenmann. Er konnte nicht sein ohne den Duft der Haut, ein Lachen, das gewisse Etwas. Und als seine Lotte dann so krank wurde, unheilbar krank und ohne jegliche Aussicht auf Besserung, da ist er natürlich … Ich meine, es blieb einem wie ihm doch gar nichts anderes übrig, als sich gelegentlich …«

»Waren es Frauen hier aus dem Domizil?«

»Ich hab lediglich dafür gesorgt, daß er anständig aussah, als er gestorben war. Deshalb hab ich ihm die Handschellen abgenommen und das Klebeband von den Füßen abgelöst. Schon wegen der Öffentlichkeit. Geht doch niemand etwas an, was er in seinem Bett anstellt, oder? Alt genug war er ja schließlich! Aber seine tote Lotte soll sich im Himmel nicht schämen müssen. Obwohl sie sicherlich gewußt hat, mit wem sie all die Jahre verheiratet gewesen war. Aber das steht ja bereits alles im Protokoll. Sonst weiß ick nischt mehr. Ehrlich!«

»Herr Krumm, weichen Sie nicht aus!«

»Eugen, sie hat recht. Du mußt ihr helfen!« bettelte Wally.

»Das hätte Ottl auch nicht anders gewollt. Das sind wir ihm schuldig.«

»In der Liebe gibt es kein Maß. Wissen Sie das nicht? Wer nicht lieben kann, hat Angst vor sich selber.«

»Doch, das weiß ich«, sagte Sina sanft. »Wie heißt sie? Kennen Sie sie?«

»Hab ick Ihnen doch schon neulich verraten. Verschlungene Herzen, erinnern Se sich?«

»Gundis«, steuerte Wally eifrig bei. »Gundis Wagner. Eine Treppe runter. Und dann rechts.«

✦

Sie war nicht vorbereitet gewesen, auf das, was sie erwartete, als die Tür geöffnet wurde: ein menschlicher Fleischberg, in Goldlamé gezwängt, mit einem überraschend faltenlosen, stark geschminkten Gesicht. Schwer zu schätzen, bestimmt aber jenseits der Siebzig, wenngleich die lackschwarz gefärbten, gefährlich hochtoupierten Haare nicht ohne Erfolg Jugendlichkeit vortäuschten.

»Ich bin Rechtsanwältin Teufel«, sagte Sina leicht beklommen, »und habe Herrn Fürst vertreten. Darf ich Sie einen Augenblick sprechen?«

Schnelle dunkle Augen flogen zur goldenen Uhr am Handgelenk, die in Fettwülsten fast ertrank.

»Zehn Minütchen, ja?« Die Stimme war tief und melodisch. »Dann bekomme ich Besuch. Wenn Sie sich also freundlicherweise kurz fassen würden?«

Sie rollte vor Sina durch den schmalen Gang in ein Zimmer von abenteuerlicher orientalischer Pracht. Vor dem Fenster blieb sie schweratmend stehen.

»Sie kannten Ottfried Fürst?« begann Sina.

»Jeder kannte ihn.«

»Näher?«

»Wie nah?«

»Ziemlich nah. Intim, um präzise zu sein.«

Ein pfeifender Ton, als wäre jeder Atemzug eine Anstrengung. Wenn Gundis Wagner sich bewegte, erzitterte der Boden.

»Haben die alten Säcke also wieder getratscht? Ist doch nicht zu fassen! Selber zu geizig, um ein paar Mark springen zu lassen, aber den anderen das Vergnügen partout nicht gönnen wollen.«

Sinas Blick glitt zum stabilen, vierpfostigen Himmelbett, über das nachlässig eine Tigerdecke aus Kunstfasern gebreitet war. Darunter sah man spitzenbesetzte Damastwäsche hervorblitzen. Die Dame schien Sinn fürs Romantische zu haben.

»Ja, was soll's? Sie wissen es ja ohnehin bereits. Er war öfter hier bei mir. Eine Zeit sogar recht regelmäßig. Um sich ein bißchen Trost zu holen. Und menschliche Wärme. Oder glauben Sie vielleicht, es ist einfach, dabei zuzusehen, wie die eigene Frau von Tag zu Tag mehr verfällt?«

»Nein«, sagte Sina wahrheitsgemäß, »das glaube ich nicht.«

»Und er hatte Stil, jedenfalls mehr als die meisten anderen. Immer eine kleine Aufmerksamkeit, eine Rose, Pralinés, ein schöner Duft.«

»Oder eine Uhr?«

»Wie kommen Sie gerade darauf? Nein, eine Uhr war nie dabei. Und er hat auch keine getragen, wenn er hier war. Glauben Sie vielleicht, ein Mann kommt dazu, auf die Zeit zu achten, wenn ich mich intensiv mit ihm beschäftige?« Sie lächelte kokett. »Ottfried war ein Genießer. Man konnte spüren, daß er zu schätzen wußte, was ich zu bieten hatte. Schade, daß er tot ist. Wirklich schade. Schatzis wie ihn könnte ich weiß Gott mehr gebrauchen.«

»Schatzis?« wiederholte Sina fragend. Im Mund dieser gewaltigen Frau klang das Kosewort ziemlich merkwürdig.

»Lassen Sie uns doch nicht lange um den heißen Brei herumreden! Ich wiege fast dreihundert Pfund, habe die größten Brüste und bestimmt den riesigsten Hintern der Stadt und war niemals schön, nicht einmal, als ich jung war und davon geträumt habe, eines Tages eine weltberühmte Bildhauerin zu werden. Damals habe ich den Ton monatelang nicht mehr von den Händen gekriegt und bin dabei fast verhungert. Jetzt lasse ich alte Männer Nachmittag für Nachmittag mein Fleisch kneten und werde jeden Monat fetter und reicher dabei, anstatt irgendwo in einer engen Sozialwohnung mit meiner Mickerrente rumzudarben. Zurück in Mamis Höhle, lautet meine Devise. Dort, wo es weich, heiß und gemütlich ist. Und das kommt an, kann ich Ihnen sagen! Besonders bei denen, die wie ich schon ein paar Jährchen auf dem Buckel haben. Mein größtes Kapital sind gerade die vielen Kilos, Sie werden lachen! Vor ein paar Jahren hab ich mal versucht abzunehmen, aber da sind mir prompt alle meine Schatzis weggelaufen. Jetzt schau ich, daß sich am Bewährten bloß nichts ändert. Und das genau ist es, was sie wollen: gute, solide Hausmannskost. Ohne Schnickschnack, den sie ohnehin nicht mehr verkraften würden. Oder glauben Sie vielleicht, ich wüßte nicht, weshalb sie alle angerannt kommen?«

»Wann haben Sie Fürst zum letztenmal gesehen?«

»Gesehen? Im Bett gehabt, das wollen Sie doch eigentlich wissen – oder?« Das Dreifachkinn wabbelte gefährlich. »Und lassen Sie diese Schnell aus dem Spiel, sonst können Sie gleich wieder abziehen. Ich habe nicht die geringste Lust, daß die wieder mißtrauisch wird und ich mir lauter Ausreden einfallen lassen muß. Mit Rausschmiß hat sie mir schon mehr als einmal gedroht, können Sie sich das vorstellen? Und was soll dann aus meinen Schatzis werden? Diese moralinsaure Heilsarmeetante kann mir gestohlen bleiben!«

»Von mir erfährt sie keinen Ton.«

»Na, wenigstens etwas! Lassen Sie mich mal in Ruhe nachdenken!« Sie watschelte zum Nachttisch und blätterte in einem roten Kalender. »Ist schon eine ganze Weile her. Einige Wochen, würde ich sagen. Nein, da haben wir ihn ja, den Ottfried! Es liegt sogar noch länger zurück: 22. April, vierzehn Uhr. Er war mein letzter Schatzi an diesem Tag. Danach kam keiner mehr. Ottl hat es nämlich gemocht, wenn ich mir den ganzen Nachmittag für ihn freigehalten habe.

»Und das ist die Wahrheit?«

»Das klingt ja fast, als wären Sie von der Polizei! Ich denke, Sie sind Anwältin!« Gundis Wagner war ehrlich empört.

»Welchen Grund sollte ich haben zu lügen? Weil ich von meinen Schatzis bei Extras einen Blauen nehme oder irgendeine andere Aufmerksamkeit, wenn sie gerade mal nicht flüssig sind? Ist doch nichts anderes als praktische Nächstenliebe, was ich hier betreibe! Also, wie gesagt, Ottfried hat sich eine kleine Ewigkeit nicht mehr bei mir blicken lassen. Was ich, unter uns gesagt, richtig schade fand. Aber er hatte offenbar Besseres vor.«

»Könnten Sie etwas deutlicher werden?«

»Ein Weib, verehrte Frau Rechtsanwältin. *Cherchez la femme!* Oder, wie Baudelaire es so schön formuliert hat: ›Das Weib ist fraglos eine Leuchte, ein Blick, eine Einladung zum Glück.‹ Erstaunt, weil eine wie ich sich in der Literatur auskennt? Na, dann ist es ja gut. Ich bin felsenfest davon überzeugt, er hatte eine andere.«

✦

»Mit dem aufrechten Gang unserer Vorfahren vor circa dreieinhalb Millionen Jahren fing es an: Der Kehlkopf begann sich zu entwickeln. Dabei sank er von seiner ursprünglichen Position stetig nach unten, so daß auf diese Weise ein idealer Resonanzraum für Laute und Töne in Mundhöhle und Rachenraum entstand. Die Decke der Mundhöhle hat sich dabei immer weiter nach oben gekrümmt; unsere tiefere Kehlkopfposition ist somit die morphologische Voraussetzung für Vokalbildung überhaupt ...«

Sie hielt inne.

»Sie hören mir ja gar nicht zu, Frau Teufel! Wo sind Sie denn mit Ihren Gedanken?«

»Bei Ottfried Fürst«, erwiderte Sina wahrheitsgemäß. »Bitte entschuldigen Sie! Und wer Interesse daran gehabt haben könnte, ihn ins Jenseits zu befördern. Ich weiß nicht weshalb, aber etwas an seinem Ableben macht mich ganz unruhig. Es könnte eine Art Raubmord gewesen sein, weil Wertgegenstände fehlen, aber ich glaube nicht wirklich daran. Er hätte doch versucht, sich zu wehren, oder? Und dann noch diese merkwürdige Fesselung!« Sie war in Gedanken versunken, sprach wie zu sich selbst. »Wissen Sie, daß in Deutschland jeder zweite Mord unentdeckt bleibt? Daß bei der Leichenschau Jahr für Jahr an die zweitausend gewaltsame Todesfälle übersehen werden, nur weil einige Ärzte schlampen? Ein Wahnsinn, wenn man sich das mal überlegt!«

»Dazu ist später noch Zeit.« Henny Waldheims Stimme klang energisch. »Jetzt wird erst einmal gearbeitet! Oder wozu sind Sie sonst hier?«

»Ich werde mich bemühen.«

»Bemühen – ganz falsch! Alles im Kopf- und Halsbereich muß locker bleiben, sonst fällt die ganze Arbeit auf Ihre beiden zierlichen Stimmbänder zurück, und Sie haben in Kürze wieder den Salat und verstummen. Die Stimmbänder sollten am besten nur vibrieren und nicht gleichzeitig strapaziertes Ventil spielen. Also noch einmal: Sie stehen gerade, atmen unverkrampft durch die Nase ein. Vorsicht, nicht die Schultern hochziehen! Die belasten sonst sofort Ihre Halsmuskulatur.«

Sina ließ wie ertappt die Schultern wieder sinken.

»Jetzt geben Sie die Luft aus Ihren Lungen ganz langsam wieder ab. Na also, war doch für den Anfang gar nicht so übel.«

»Das lerne ich nie«, sagte Sina resigniert. Alles fühlte sich inzwischen verkrampft an: Hals, Schultern, Arme, Rücken.

»Papperlapapp! Gleich noch einmal: Sie stehen locker und atmen tief durch die Nase ein. Stellen Sie sich vor, wie sich Ihr Körperschwerpunkt dabei nach unten verlagert …«

»Kennen Sie Gundis Wagner, Frau Waldheim?«

»Die alte Schlampe, zwei Stock tiefer? Natürlich. Aber ich verkehre nicht mit ihr.«

»Und weshalb nicht?«

»Weil ich Weiber wie sie noch nie ausstehen konnte. Es ist nicht das, was Sie jetzt vielleicht meinen.« Henny Waldheim fächelte sich zierlich Luft zu. »Moral und dieser ganze bürgerliche Schotter bedeuten mir nichts. Mein Leben lang hab ich mich nicht darum gekümmert. Aber Gier war mir seit jeher zuwider. Weil sie nichts als Leid und Verwirrung mit sich bringt.«

»Fürst hat die Wagner auch gekannt. Näher, meine ich.«

»Das paßt zu ihm. Wollen Sie schon aufhören?«

»Nein, ich dachte nur … Es tut Ihnen nicht besonders leid, daß er tot ist, habe ich recht?«

»Die Welt wäre ein besserer Ort, wenn es weniger von seiner Sorte gäbe. Irgendwann kommt für jeden der Tag, wo er bezahlen muß. Und manchmal ist die Rechnung eben hoch – ganz einfach. Aufgepaßt! Sie fauchen jetzt den Buchstaben F und unterstützen dabei diese Aktion mit Ihrer Bauchmuskulatur.« Eine trockene, runzlige Hand betastete ungeniert Sinas Bauchregion. »Einigermaßen trainiert und nicht zuviel Fett, das sind keine üblen Voraussetzungen. Kommen Sie, Kind! Luftholen, drei kurze F hintereinander, Pause und dann das Ganze noch einmal von vorn! Und ein bißchen engagierter, wenn ich bitten darf. Sie können froh sein, daß Sie mich nicht einige Jahre früher als Lehrerin erlebt haben.«

»Weshalb?«

»Frau Teufel – können wir jetzt endlich?«

»Weshalb wäre die Welt schöner ohne Fürst und seinesgleichen? Und wofür mußte er bezahlen?« Alarmiert hatte die Jägerin die Fährte aufgenommen und ließ sich nicht beirren.

»Wollen Sie mich ernstlich zornig machen? Wir arbeiten!« Einatmen F-F-F … Einatmen F-F-F … Einatmen … Sina hielt abermals inne.

»Und Sie sind wirklich davon überzeugt, daß das hilft? Auch bei einem so unmusikalischen Menschen wie mir?«

»Nicht, wenn man ständig unterbricht und dummes Zeug fragt! Außerdem gibt es unmusikalische Menschen nicht, sondern nur solche, die ungeübt sind in Musik. Ich sehe schon, so kommen wir nicht weiter. Wir werden mit einer ganz anderen Übung anfangen müssen, die Sie erst einmal ruhiger werden läßt.« Unzählige Goldreifen klimperten. »Sind Sie bereit?«

»Kommt ganz drauf an.«

»Das ist doch keine Antwort! Sind Sie bereit – ja oder nein?«

»Ja«, sagte Sina leicht eingeschüchtert. »Ja, ich bin bereit.«

»Gut, dann lassen Sie uns endlich beginnen!«

◆

»Nicht ein Wort zuviel habe ich aus ihr herausgekriegt«, sagte Sina bekümmert, als Carlo abends mit seinem berühmten »italienischen Picknickkorb« bei ihr ankam. »Trotz aller Tricks. Nicht einmal, als ich mich bewußt blöd gestellt habe, wie ich es gern tue, wenn ich hinter die Klugheiten der anderen kommen möchte. Dabei bin ich überzeugt, daß sie eine ganze Menge weiß. Viel mehr als die dicke Wagner, die sich vor allem selbst in Szene setzen wollte.«

»Glaubst du wirklich? … Nach deinen Beschreibungen

kommt sie mir vor allem exzentrisch vor. Und ein bißchen verrückt dazu.«

»Aber das ist nichts als Theater, Carlo, reine Show! Henny Waldheim ist hellwach, wenn du mich fragst, und kriegt trotz ihres Alters alles mit, was um sie herum passiert. Ihre Exzentrik hat sie sich zugelegt wie eine gutgeschnittene Abendrobe, die alle Schwachstellen gnädig verhüllt. Nur Blinde können darauf reinfallen. Die ist stinknormal und nicht verrückter als du oder ich.«

Sie schüttelte den Kopf.

»Und Grenzen sind ihr ganz egal. Wenn du wüßtest, was sie mit mir angestellt hat – eine Übung, die es in sich hatte.«

Ihr Gast hatte inzwischen den Tisch gedeckt, Pasta mit Thunfischsauce ausgeteilt, Weißbrot geschnitten, Oliven und Sardellen in kleine Schüsseln gefüllt. Taifun strich bereits in froher Erwartung um Carlos Beine. Es gab nichts, was er so verheißungsvoll fand wie Kostproben von dessen Kochkunst. »Parmaschinken war leider schon aus. Und ob dieser mittelalte Pecorino, den ich statt dessen genommen habe, etwas taugt, wird sich erst erweisen. Was hat sie denn mit dir angestellt? Etwas Unanständiges? Dann gehst du mir aber nicht mehr hin, meine Sina!«

»Spinner!«

Vorhin hatten sie gemeinsam das Weingut angerufen, wo man mit großer Bestürzung auf die Nachricht reagiert hatte, ein minderwertiger Wein mit einem nahezu perfekt gefälschten Etikett habe in Deutschland Verbreitung gefunden. Der Besitzer, Michele Antinori, der einigermaßen gut Deutsch sprach, flehte Sina in seinem charmanten Singsang geradezu an, das Mandat zu übernehmen und in seinem Namen Anzeige bei der Staatsanwaltschaft zu erstellen. Was blieb ihr anderes übrig, als anzunehmen, angesichts eines Carlo, der wie ein Kind mit großen Augen und offenem Mund neben ihr stand und jedes Wort verfolgte?

»Dann raus damit!«

»Erzähl ich dir ein andermal.«

»Du bist gemein.«

»Natürlich. Und gern dazu. Weißt du doch inzwischen zur Genüge.«

»Kein Wunder, daß es niemand lange bei dir aushält.«

Der Hieb saß, obwohl sie lachte.

»Wenn du dich da nicht böse täuschst! Ein gewisser Laszlo S. zum Beispiel, um mal nur einen Namen zu nennen, kann gar nicht genug von mir kriegen. Also gut, aber nur, weil ich ein so großes Herz habe.« Bei der Erinnerung an die intensive Erfahrung wurden auch ihre Gefühle sofort wieder lebendig. »Genauer gesagt war es ein Ritual.«

»Und das im Altenheim? Klingt irgendwie aufregend.«

»Das war es auch. Es nennt sich ›Die Niederwerfung‹. Hast du schon mal davon gehört?«

»Niemals. Fang endlich an!«

»Du stellst dir vor, bestimmte Personen treten dir gegenüber. Zuerst die Toten.«

Carlo zog die Luft scharf durch die Zähne ein. »Etwas Spiritistisches etwa?«

»Keine Spur. Du weißt nicht, wer kommen wird. Du läßt es einfach geschehen. Bei mir hat es eine ganze Weile gedauert. Schließlich erschien meine Mama. Ich bin auf die Knie und hab mich vor ihr tief verneigt. Sie blieb eine Weile bei mir, dann ging sie langsam wieder. Und dann, Carlo, hab ich Friederike gesehen.«

Er schaute sie besorgt an. Aber Sinas Gesicht war erstaunlich gelöst.

»Seltsamerweise war es ganz normal; sie hat sich nicht einmal groß gewundert, daß ich ihr meine Achtung erwiesen habe. Und friedlich war es, so schön und friedlich! Von mir aus hätte es Stunden dauern können, aber es war wohl nur ein ganz kurzer Augenblick. Ich weiß nicht, was sich geändert hat, aber ich fühle mich seitdem so im reinen mit ihr.«

»Du hast nie mit ihr ›gesprochen‹, seitdem sie gestorben ist, nicht wahr, Sina?«

»Ich habe es niemals versucht, kannst du dir das vorstellen? Und bis heute wußte ich nicht einmal, wie sehr mir das gefehlt hat.« Ihre Augen waren feucht geworden. »Dann folgte eine lange Pause. Und plötzlich, wenn ich dir auch jetzt nicht mehr sagen kann, warum, wußte ich, daß sich niemand mehr zeigen würde. Zumindest heute nicht. Eigentlich wollten wir ja weitermachen, Henny Waldheim und ich, denn das mit den Toten war erst der Anfang. Anschließend sollten die Freunde kommen. Dann die Meister. Und zum Schluß die Feinde, was bestimmt ganz besonders spannend gewesen wäre. Aber dazu ist es leider nicht mehr gekommen.«

»Was ist passiert?«

»Sie hat schrecklich zu weinen angefangen, Carlo. Wurde aschfahl, verdrehte die Augen, bekam kaum noch Luft. Ich hatte richtig Angst, sie könnte mir auf der Stelle ersticken.«

◆

»Was ist nun, Sina? Hast du dir das mit dem Umzug überlegt?« Laszlos Stimme war weich und einschmeichelnd. Am liebsten wäre sie in den Telefonhörer gekrochen, so sehr sehnte sie sich nach ihm. »Bis jetzt liegen wir mit der Wohnung noch erstaunlich gut im Rennen. Aber ich fürchte, der Makler verliert allmählich seine Geduld.«

»Ich bin noch nicht einmal richtig zum Nachdenken gekommen. Du kannst dir ja nicht vorstellen, was hier alles los war – der reinste Streß!« In Kürze skizzierte sie, was passiert war: Hannes Knoten, Fürsts Tod, das Gerüst von Peiniger und die wenig verheißungsvolle Aussicht, die nächsten Wochen auf einer Baustelle arbeiten zu müssen. »Kommst du eigentlich am Wochenende?« fragte sie. »Ich hab uns schon ein tolles Programm zusammengestellt: erst ein Ausstellungsbesuch, danach ausgiebige Siesta, Essen im verrückten bayrisch-japanischen Wirtshaus, gefolgt von der Bongo-Bar im Kunstpark Ost. Und wenn wir anschließend noch immer nicht genug haben, verrät uns Anke, was zur Zeit die angesagtesten Hallen sind. Du wirst München so interessant finden wie nie zuvor – garantiert!«

»Du weichst aus, Sina. Wieder einmal. Macht dir denn die Vorstellung von einem Leben mit mir solche Angst?«

»Könnte ich so nicht sagen«, erwiderte sie wahrheitsgemäß. »Im Augenblick habe ich eher das Gefühl, es würde vielleicht ein Leben mit dir, dafür aber ein Leben ohne mich sein. Wie soll ich alles unter einen Hut bekommen, jetzt, wo Hanne auch noch in der Klinik liegt und ich die Renovierung ganz allein durchstehen muß? Denn eine Kanzlei habe ich ja schließlich auch noch, wenn du dich vielleicht erinnerst. Und Berlin würde einen radikalen Neuanfang für mich bedeuten. Kannst du das verstehen?«

»Das ganze Leben besteht aus lauter Neuanfängen, Sina.«

»Und das sagt einer, der sich dazu gerade mal ein paar Kilometer westlich bewegen muß – von Kreuzberg nach Charlottenburg!«

»Na und? Glaubst du vielleicht, ich würde dir nicht helfen? Oder dich drängen wollen, mit mir zusammenzuarbeiten? Na also! Du hast alle Zeit der Welt, um dir zu überlegen, was du wirklich willst. Und natürlich kriegst du bei deiner Entscheidung jede Unterstützung von mir – *jede!*«

»Warum können wir nicht einfach noch ein bißchen warten?« versuchte sie es auf andere Weise. Es war ihr so wichtig, ihn nicht zu verletzen, aber trotzdem all ihre widersprüchlichen Gefühle loszuwerden. »Diesen Sommer abwechselnd in München und in Berlin genießen? Und neue Pläne schmieden, wenn es Herbst wird, und erst dann eine Wohnung suchen. Wenn wir ganz sicher sind. Dann ist auch Hanne wieder auf dem Damm. Ich kann sie jetzt doch nicht einfach so hängenlassen! Was hältst du davon?«

»Nichts.« Er klang reserviert. »Du willst doch bestimmt, daß ich ganz ehrlich bin.«

»Natürlich! Aber wieso bist du dagegen?«

»Weil dir spätestens dann neue Gründe einfallen werden.«

»Das ist nicht wahr!«

»Ist es doch. Und tausend neue, äußerst überzeugende Ausreden, warum es ausgerechnet jetzt nicht möglich sein kann. ›Aber im Frühjahr, Laszlo, ja?‹« Er imitierte ihren Tonfall täuschend echt. »›Im Frühjahr bestimmt, wenn es wärmer wird und man wieder mehr Lust auf Veränderung hat.‹«

»Du weißt genau, daß du der wichtigste Mensch in meinem Leben bist.«

»Und du in meinem. Aber genau deshalb kapier ich einfach nicht, daß du es uns so schwer machst, Sina. Worauf willst du noch warten? Bis wir beide alt und kahl sind? Auf den Tag, wo Himmel und Erde ihren Platz tauschen? Ich weiß, wie viel dir deine Freunde bedeuten und daß du deinen Beruf sehr ernst nimmst, aber ich bin einfach so anmaßend, meine Wichtigkeit und die unserer Liebe rangmäßig höher einzustufen. Und daher stelle ich dir jetzt ein Ultimatum, mit dem du anfangen kannst, was immer du willst: Ich fahre kommenden Samstag für eine Woche nach Italien. Und ich wünsche mir, daß du mitkommst.«

»Nach Gargonza?«

»Bingo! Sie hat es doch nicht vergessen! In die wunderschöne Toscana, ganz genau, zum Strafverteidigertreffen.«

»Ach, und ich wette, deine Flamme Jutta Pachmann, das blonde Gift, ist auch mit dabei. Habe ich recht?«

»Jutta ist keine Flamme, sondern eine Kollegin«, schwächte er ihre Spitze ab. »Na gut, eine Kollegin, die möglicherweise eine winzige Schwäche für mich hat.« Übermütiges, leicht verlegenes Lachen. »Du erinnerst dich bestimmt nur deshalb so genau an sie, weil sie dir bei Hannos Fest versehentlich den Wein auf deine schöne helle Bluse geschüttet hat.«

»Versehentlich? Das war pure Absicht! Nein, weil sie dich stundenlang fixiert hat, so ausgehungert, als wolle sie dich im nächsten Moment mit Haut und Haar verschlingen!«

Er lachte wieder, und ihr Herz flog ihm zu.

»Vergiß diese Jutta! Kommst du nun mit oder nicht? Das ist das einzige, was mich jetzt interessiert.«

»Weißt du, Laszlo … im Augenblick kann ich wirklich nicht …«

»Ach, Sina, wo anders als unter Pinien und Zypressen könnten wir uns besser über unser künftiges Leben unterhalten?« Sein eben noch ausgelassener Ton wurde spürbar reservierter. »Falls du es jedoch vorziehen solltest, wieder einmal wie so oft unabkömmlich zu sein, mußt du auch die Konsequenzen tragen. Flugplan, Adresse und Telefonnummer faxt dir mein Sekretariat zu.«

»Aber, Laszlo, du kannst doch nicht einfach …«

»Und ob ich kann! *Buona notte,* Sina! Süße Träume wünsche ich.«

»Scheißkerl!« sagte sie unter Tränen, nachdem er aufgelegt hatte, und fixierte das Telefon so eingehend, als sei der Apparat und niemand anderer schuld an dem wehen Gefühl in ihrem Herzen. »Verfluchter, geliebter Scheißkerl!«

Dreizehn

Alle standen sie betreten und schweigsam um Hannes Bett herum: Carlo, der vorsorglich schon mal einen großen Korb mit Ananas, Kiwis, Mangos, Bananen und Mengen von Fruchtschnitten angeschleppt hatte, Louis Levin, tiefbraun von der Tropensonne und während seines wochenlangen Urlaubs auf Java, Bali und den Philippinen den Köstlichkeiten der südostasiatischen Küche offensichtlich derart verfallen, daß er mehr denn je einem runden, zufriedenen Buddha ähnelte, sowie Hannes sonst so redselige Freundin Margarete, die jetzt allerdings kein Wort verlor, sondern gerade mit versteinerter Miene dabei war, die Liegende in eine halbwegs bequeme Position zu betten.

»Da kann ich ja eigentlich gleich wieder gehen!« Ihr Scherz mißlang kläglich.

»Nein, bleib bloß da, Sina!« Es klang wie ein Schrei. »Und schick die anderen weg! Auf der Stelle. Sonst werd ich noch wahnsinnig.«

Noch bevor sie die Freunde freundlich, aber bestimmt hinauskomplementiert hatte, wußte Sina, was geschehen sein mußte. Sie atmete tief durch und setzte sich vorsichtig an Hannes Bett.

»Also keine guten Nachrichten.«

Kopfschütteln.

»Der Knoten war nicht gutartig. Richtig?« Sina brachte es nicht über sich, das Wort Krebs auszusprechen. Noch nicht.

Nicken.

»Haben sie dir …«

»Allerdings!« brach es aus Hanne heraus. »Das haben sie. Von meiner linken Brust ist nicht mehr viel übrig, immer schön nach dem Motto: So wenig wie möglich, soviel wie nötig. Ich hätte den Professor ohrfeigen können, als er es mir vorhin mit eben diesen Worten eröffnet hat, lächelnd und in Seelenruhe. Wahrscheinlich genauso, wie er es im Schnellkurs ›Angewandte Psychologie am Krankenbett‹ gelernt hat.«

Sie fing an zu weinen, so heftig, daß ihre nächsten Worte kaum zu verstehen waren.

»Eigentlich hab ich es schon von Anfang an geahnt und bloß nicht wahrhaben wollen. Da war so ein widerliches, schwarzes Gefühl, Sina, von ganz unten herauf. Immer wieder hab ich versucht, es wegzuschieben, ehrlich! Trotzdem ist es ebenso hartnäckig zurückgekommen. Aber daß es nun wirklich Krebs sein muß …«

Vor Schluchzen konnte sie nicht weitersprechen, aber sie hatte das magische Wort wenigstens in den Mund genommen. Sina empfand so tiefes Mitgefühl, daß ihr das Antworten schwerfiel und ihr nur lauter freundliche Allgemeinplätze in den Sinn kamen. Das Bett neben Hanne war unbelegt; sie fixierte das strammgezogene Laken, während sie redete.

»Die werden dir bestimmt eine neue Brust machen. Die Lymphknoten sind doch okay, oder?« Ihre Stimme klang fest und sicher.

»Sie müssen erst das Ergebnis der Untersuchung abwarten. Und einige Bestrahlungen soll ich auf jeden Fall kriegen. Du verstehst, was das bedeutet?« Hanne hatte sich mit schmerzverzerrtem Gesicht weiter aufgesetzt. »Wenn sie doch nur halbwegs ehrlich wären! Das würde schon helfen.

Außerdem kann keiner sich vorstellen, was das für ein Gefühl ist – so gut wie alles weg!«

»Die gehen auf Nummer Sicher, Hanne. Und das müssen sie doch auch.«

»Ach, Sina, ich fühl' mich wie auf einem sinkenden Boot mitten im Ozean. Mutterseelenallein. Und das bei tiefer Nacht.«

»Komm schon, Alte, du bist doch eine prima Schwimmerin! Eine wie du geht niemals unter. Du wirst bestimmt wieder ganz gesund. Ich weiß es!«

Dabei hatte sie selber das Gefühl, im nächsten Moment keine Luft mehr zu bekommen und unterzugehen. Erst Friederike, und jetzt womöglich auch noch Hanne!

»Und selbst wenn du recht haben solltest, wie soll ich denn weiterleben, jetzt, wo ich nur noch eine halbe Frau bin? Kannst du mir das mal verraten?« Hannes Gesicht war weiß und winzig.

»Bestimmt ein ganzes Stück gesünder und bewußter als zuvor. Und wenn ich höchstpersönlich dafür sorge. Sonst kann ich keinen großen Unterschied zwischen jetzt und früher sehen. Halbe Frau – daß ich nicht lache! So ein ausgemachter Blödsinn, Frau Bromberger! Dir fehlen circa zweihundert Gramm Fettgewebe, das stimmt. Aber sonst ist doch alles beim alten. Und deinen durch und durch eigensinnigen Schädel hast du ebenfalls noch. Was letztlich das Wichtigste ist, meinst du nicht?«

Sie mußte ihr doch Mut machen! Sie wußte nur noch nicht genau, wie.

»Ich weiß nicht. Ich weiß gar nichts mehr, Sina. Alles in mir ist so dick und grau wie ein zäher, widerlicher Brei, durch den es kein Durchkommen gibt. Und Bill, wenn ich nur an ihn denke, wird mir schon übel. Bill wird sich niemals damit abfinden, daß ich nun nur noch eine ...«

Abermals flossen heiße Tränen.

»Möchtest du, daß ich ihn in den Staaten anrufe und mit ihm spreche?« Allein die Vorstellung ließ Sinas Kehle ganz eng werden. Es fiel ihr unendlich schwer, die Zuversichtliche zu spielen, während ihre Freundin wie ein armseliges Häufchen vor ihr lag. »Ich mach es für dich.«

»Bloß nicht! Nein, auf keinen Fall. Das ist so ziemlich das letzte, was ich im Moment will. Weißt du, was? Am liebsten würde ich einschlafen und nie mehr aufwachen.«

Beide schwiegen eine Weile. Sina nahm Hannes Hand und hielt sie ganz behutsam.

»Jacky geht es übrigens prima«, sagte sie schließlich. »Natürlich vermißt er dich sehr, aber wir kümmern uns alle um ihn. Und Tilly hat ihm gestern eine große Wurst mitgebracht ...«

»Hör auf, Sina! Ich sterbe vielleicht.«

Sie ließ sich lange Zeit mit ihrer Antwort. »Das müssen wir alle, meine tapfere Amazone«, erwiderte sie schließlich mit großer Wärme. »Irgendwann, wenn unsere Zeit abgelaufen ist. Im Augenblick erscheint es mir allerdings viel sinnvoller, du würdest dich darauf konzentrieren, zu leben. Und wenn du willst, dann unterstütze ich dich dabei. Mit all meinen Fehlern und Neurosen, über die du dich immer so fürchterlich aufregen mußt. Ganz zu Recht natürlich, nebenbei bemerkt. Auch etwas, übrigens, was ich dir schon lange sagen wollte.«

Sie nahm alle Kraft zusammen und zog eine so komische Grimasse, daß Hannes Mundwinkel unwillkürlich ein winziges Stück nach oben rutschten.

»Leider gibt es nun mal keine Regel, Hanne. Ich wünschte, ich könnte dir etwas anderes sagen. Und ich wünschte noch viel mehr, ich könnte irgend etwas für dich tun.«

»Ach, Sina, ich ...«

»Scht, meine Kleine!« Sie streichelte sanft Hannes Arm.
»Du mußt dich jetzt erst einmal ausruhen. Ich komme heute abend wieder. Großes Ehrenwort! Und dann sehen wir weiter!«

✦

Mit den Gedanken noch ganz bei Hanne, kam sie wieder ins Oskar-Maria-Graf-Domizil. Mittlerweile könnte ich ebensogut hier auch einziehen, dachte sie mit leisem Sarkasmus. Dann wäre ich bei Bedarf jederzeit vor Ort, und außerdem hätte das ganze Hickhack mit Laszlo ein schnelles Ende. Seitdem sie von Hannes Befund wußte, nahm sie ihm sein nächtliches Ultimatum ausgesprochen übel. Kommt einfach daher mit seinen egoistischen Wünschen und Vorstellungen von der großen Liebe und maßt sich an, mein ganzes Leben von einem Tag auf den anderen umzukrempeln, nur weil er weiß, wieviel er mir bedeutet! Und nun soll ich mich auch noch gefälligst beeilen, es ihm zu beweisen. Klingt ja beinahe wie eine Verurteilung zu ewigem Glück, gekoppelt mit der Verpflichtung, es gefälligst auch zu ertragen. Als ob ich keine anderen Sorgen hätte!

Sie war ungerecht und einseitig, das wußte sie, und genau das wollte sie jetzt sein. Noch immer ziemlich geladen, traf sie vor dem Appartement der Fürsts auf Hauptkommissar Bierl. Die Siegel waren gebrochen, und eine junge, knusprig gebräunte Beamtin in dunkelblauem Minirock schickte sich gerade an, mit spitzen Fingern Schränke und Schubladen zu inspizieren.

»Ja, die Frau Teufel, da schau einer an!« Joseph Bierl gab sich keine große Mühe, besonders höflich zu sein.

»In der Tat. Gibt es Neuigkeiten?«

»Erste Obduktionsergebnisse liegen vor.«

»Ich höre!«

»Leider bin ich nicht befugt, Ihnen Mitteilung zu machen.« Die Revanche für ihr gutes Verhältnis zu seinem Vorgänger, dessen saloppe Umgangsformen Bierl zutiefst zuwider gewesen waren. Jetzt konnte endlich er den Ton angeben, was er sichtlich zu genießen schien. »Wenn ich recht informiert bin, vertreten Sie ja den Sohn, diesen Leander Fürst. Jemanden, der ein prima Motiv hat. Und überall herumposaunt hat, wie sehr er seinen Vater haßt.«

»Da sind Sie aber leider nicht richtig informiert. Der Vater war mein Mandant, und das Mandat besteht lediglich so lange weiter, bis der Sohn es kündigt. Außerdem war er es nicht.«

»Wieso stemmt er sich dann so gegen eine Obduktion?«

»Weil er mit seinem Vater nicht fertig wird, seelisch meine ich. Und weil er sich gern wichtig macht. Aber nicht alle Maulhelden sind Mörder. Haben Sie sein Alibi denn nicht längst überprüft?«

»Haben wir«, erwiderte Bierl verdrießlich, weil sie es ihm alles andere als leicht machte. Sie standen jetzt beide im Wohnzimmer, das so aussah wie immer, ohne seine beiden Bewohner jedoch auf einmal trostlos und verlassen wirkte.

»Kommissarin Kinast war so freundlich. Billard im ›Schelling-Salon‹ von circa fünfzehn bis einundzwanzig Uhr. Acht Halbe, sieben Korn. Es gibt um die zwölf Zeugen, die es bestätigen können. Was allerdings noch nichts Endgültiges besagt.«

»Weil er die alle einzeln bestochen hat? Vergessen Sie es, Herr Hauptkommissar! Leander Fürst ist ein Säufer mit Hang zu großen Ideen, die ihm leider an jedem Morgen wie Seifenblasen zerplatzen. Für so etwas fehlt ihm jegliche Energie. Von der nötigen Koordination ganz zu schweigen.«

»Aber er ist doch der einzige Erbe. Ist das denn kein Motiv?«

Sina winkte ihn näher, bis ihre Köpfe fast zusammensteckten. Ein säuerlicher Geruch ging von ihm aus, typisch für viele Männer mittleren Alters, die innerlich längst resigniert haben.

»Von dem, was für ihn übrigbleiben dürfte, kann er sich gerade mal ein paar Kisten billigen Schnaps kaufen. Viel ist ohnehin nicht da. Und von dem Wenigen geht, soweit ich informiert bin, der Löwenanteil an eine Stiftung. Hat der Vater noch kurz vor seinem Ableben verfügt. Leander Fürst wird Gift und Galle spucken, wenn er es schwarz auf weiß bekommt. Wie sieht es mit Fingerabdrücken aus?«

Mißmutig runzelte Bierl die Stirn.

»Jede beliebige Menge. Aber so gut wie nichts Brauchbares. Die Spurensicherung ist beinahe ausgeflippt. Sieht fast so aus, als hätte jemand in großer Hast wie wild herumgewischt.« Die scharfen Falten in seinem Gesicht wurden noch tiefer. »Das fragen Sie doch nicht ohne Grund, Frau Teufel, so, wie ich Sie kenne. Gibt es denn etwas, was Sie wissen, und das wir wissen müßten?«

»Möglich.« Sina tänzelte hinüber ins Schlafzimmer. »Ja, könnte durchaus sein. Und ich wäre nicht einmal abgeneigt, es Ihnen mitzuteilen.« Sie machte eine kleine, gut kalkulierte Pause. »Vorausgesetzt natürlich, Sie verhalten sich mir gegenüber ebenfalls kooperativ.«

Kommissarin Kinast konzentrierte sich nun auf die Papiere, die auf dem kleinen Sekretär lagen. Die Gelegenheit für Sina, sich im Kleiderschrank umzusehen. Sie stutzte einen Augenblick, dann mußte sie lauthals lachen. Eine derart seltsame Anordnung war ihr noch niemals begegnet. Links die Anzüge, an die weiße Zettel mit Nummern von eins bis vierzehn gesteckt waren, rechts das Hemdenfach,

in dem die peinlich gefalteten Oberhemden ebenfalls jeweils eine Nummer trugen. Gleiches galt für die Krawat-
ten, peinlich über Holz aufgehängt, und die Socken, die
unten in einem kleinen Korb lagen. Einzig ein Smoking,
offenbar neueren Datums, hing blank und nummernlos in
der Mitte. Aus allen Stücken war das Größenetikett säuber-
lich herausgetrennt, eine Marotte, die Sina von ihrer Großmutter kannte, die im Alter stark zugenommen hatte und
vergeblich hoffte, es auf diese Weise vor der Umwelt verbergen zu können.

Nirgendwo eine Spur von Lotte Fürsts Kleidern. Keine Frau-
enschuhe, keine Nylons oder Strumpfhosen, keine feine Un-
terwäsche, nicht ein Seidentuch. Nichts, das an Ottfried
Fürsts große Liebe erinnert hätte. Sogar die silbergerahmte
Fotografie, die sonst immer auf der Kommode gestanden
hatte, Ottfried und Lotte in eleganter Abendgarderobe vor
dem Bayreuther Festspielhaus, war verschwunden.

Dafür fand sie in einer Schublade einen Packen vergilbter
Pornohefte, schon ein wenig abgegriffen. Ganz unten lag
eine Kunstpostkarte, die eine blondgelockte Frau zeigte,
die sich einen Dolch an die rechte Brust hielt. Um den
Hals trug sie schweres Geschmeide, der leicht gewölbte
Leib war nackt, bedeckt nur von einem spinnwebzarten
Schleier, der nichts verhüllte, sondern im Gegenteil Scham
und Schenkel aufreizend betonte. Sina kannte das Gemälde, gut sogar, auch wenn sie im Moment nicht wußte, woher.

Sie drehte die Karte um. Eine großzügig hingeworfene
Frauenhandschrift. Kein Datum. Nur eine einzige Zeile
und eine nicht minder schwungvolle Unterschrift:

»Keine Nacht dir zu lang!«
Dein Steinchen

»Und? Fündig geworden?« wollte Bierl wissen.

»Leider nur bedingt«, mußte Sina einräumen und deutete auf die Hefte. Die Karte hatte sie unauffällig in der Jackentasche verschwinden lassen. »Dieses Zeug da kann man einem alten Mann ja kaum verübeln. Und ansonsten würde ich mich durchaus Ihrer Vermutung anschließen, daß hier offenbar hastig aufgeräumt worden ist. So gründlich, daß sogar ... einen Moment mal bitte!«

Sie stürzte hinüber ins Schlafzimmer. Bierl und die Beamtin ihr hinterher. Sina stand neben dem Bett und zeigte auf die beiden Acrylablagen.

»Ja und?« fragte Bierl verdrossen. »Ich sehe nichts.«

»Das ist es ja gerade! Als ich vor kurzem hier war, wimmelte es nur so von obskuren Potenzmitteln.«

»Sind Sie ganz sicher? Immerhin war der Mann fast achtzig«, warf Kommissarin Kinast mit dem Hochmut der Jugend ungläubig ein. Sie war blond und sehr schlank und verbrachte offenbar den Großteil ihrer Freizeit im Fitneßstudio und auf der Sonnenbank.

»Na und?« sagte Sina. »Vielleicht greifen wir auch nach ähnlichen Rettungsankern, wenn wir erst einmal so alt geworden sind und es satt haben, einsam zu sein, wer weiß? Fürst wollte es offenbar noch einmal genau wissen. Und hatte offenbar für den Fall der Fälle bestens vorgesorgt: von Wollusttropfen zum Einheizen über Excess Body Lotion bis zur Firecreme und wie der Unfug sonst noch heißen mag war alles vorhanden. Ich habe es mit eigenen Augen gesehen. Und jetzt steht nicht eines dieser Mittelchen mehr hier.«

Sie gab sich einen Ruck. Wenn sie jetzt keine Vorgabe machte, würde sie sicherlich auch bei Bierl und seiner Kollegin auf Granit beißen.

»Dabei hatte er offenbar in letzter Zeit engere Beziehungen zu einer Frau.« Sie erzählte, was Gundis Wagner angedeutet hatte.

»Und wer war diese ominöse Dame?«

»Keine Ahnung. Aber das müßte sich doch herausfinden lassen, meinen Sie nicht?« Noch hielt sie es nicht für angebracht, die Karte zu erwähnen. »Gibt es denn keine entsprechenden Zeugenaussagen?«

Bierls Mißmut wuchs. »Jetzt können wir noch einmal von vorn anfangen! Und das bei diesen Kandidaten hier, die gestern und morgen ständig durcheinanderbringen! Das nennen Sie kooperativ!«

»Ich weiß es selber gerade mal seit ein paar Stunden. Sonst hätte ich Sie natürlich längst informiert. Außerdem ist ja nicht gesagt, daß diese Frau etwas mit dem Mord zu tun gehabt hat.«

»Natürlich nicht. Aber was die offenbar verschwundene Uhr betrifft, so käme sie sehr wohl in Betracht, oder?«

Bierl war nachdenklich geworden. »Eine Panthère von Cartier, aus siebenhundertfünfzig Karat Weißgold mit zweiundzwanzig Brillanten – da gibt es genügend Morde wegen sehr viel weniger wertvoller Pretiosen.« Sein Adamsapfel hüpfte. »Andererseits ... eine Vergiftung ist ausgeschlossen, soviel steht fest. Sonstige Gewaltanwendungen lassen sich nicht feststellen, sieht man von den Blutstauungen an Hand- und Fußgelenken ab. Die natürlich auch von einem Raubüberfall stammen könnten.«

»Wofür es allerdings Anhaltspunkte geben müßte. Und die stehen ja komplett aus, habe ich recht? Fehlt denn außer der besagten Uhr noch etwas?«

»Höchstens Bargeld. In beiden Zimmern fanden sich nur ein paar Münzen. Allerdings scheint Fürst nie sehr viel bei sich gehabt zu haben. Behauptet wenigstens der Sohn. Und der müßte es ja eigentlich wissen.«

»In diesem Punkt hat er nicht gelogen. Ottfried Fürst hätte sogar im Milchladen am liebsten mit Kreditkarte bezahlt. Oder noch besser: gleich anschreiben lassen. Das war ja einer der Gründe, weshalb ich ihm und seiner Frau den Umzug hierher ins Oskar-Maria-Graf-Domizil empfohlen habe: Sie hatten einen ganzen Sekretär voll offener Käfer-Rechnungen. Was wissen wir sonst noch?«

»Kaum der Rede wert. Nicht einmal mit der chemischen Analyse des Mageninhalts ist viel anzufangen. Wenn es kein Kammersänger gewesen wäre und damit kein bestimmtes Interesse der Öffentlichkeit vorläge …«

»Geht es auch etwas deutlicher, Herr Hauptkommissar?«

»Manche dieser Akten werden sehr schnell wieder geschlossen, bei anderen dagegen verlangt man mehr Sorgfalt. Die liebe Öffentlichkeit, wenn Sie verstehen, was ich damit sagen möchte. Immerhin war der Mann ja einmal ziemlich berühmt, wenn es auch schon eine ganze Weile her ist.« Er zog einen verknitterten Zettel aus dem Jackett und hielt ihn ihr hin. »Man hat neben den Resten seiner nitrathaltigen Medikamente mikrokristalline Cellulose gefunden. Aber lesen Sie selber!«

Calciumhydrogenphosphat, Croscarmellose-Natrium sowie Magnesiumstearat. Winzige Spuren Titandioxid, Lactose, Triacetin und Indigocarmin-Aluminiumsalz … Sina ließ den Zettel sinken. »Ich verstehe nicht eine Silbe. Leider bin ich in Chemie eine Niete. Immer schon gewesen!«

»Das geht offenbar nicht nur Ihnen so. Unsereiner soll immer prompte Ergebnisse liefern – und das Labor kommt mit seinen Rückschlüssen nicht weiter.«

»Könnte ich eine Kopie bekommen?«

»Das *ist* eine Kopie. Wenn Sie unbedingt darauf bestehen, bitte sehr!«

✦

Abends, nachdem sie sich bei ihrem Besuch im Krankenhaus des Dritten Ordens vergewissert hatte, daß Hanne einigermaßen friedlich eingeschlafen war, fuhr sie nach Hause. Taifun erwartete sie bereits voller Ungeduld, verlangte erst ausgiebige Streicheleinheiten, dann einen Napf voll frischem Futter, das er gierig verschlang.

Sina goß nach diesem langen, an Eindrücken und Erlebnissen übervollen Tag die Blumen, legte sich eine CD mit indischer Sitarmusik ein, schaltete sie jedoch nach dem zweiten Raga von Ravi Shankar wieder aus. Trank ein großes Glas kalte Buttermilch in durstigen Zügen. Ließ das Käsebrot, das sie sich hergerichtet hatte, auf dem Teller schrumpelig werden.

Mehrmals nahm sie den Hörer zur Hand, um Laszlo anzurufen und doch wieder einzulenken, legte allerdings jedesmal unverrichteter Dinge wieder auf.

Von ihm natürlich kein Anruf.

Statt dessen hatte ihr Faxgerät seitenlang seine italienischen Reiseanleitungen ausgespuckt; Laszlo war offenbar entschlossen, seinen Teil der Abmachung strikt einzuhalten, egal, was auch der Preis dafür sein mochte.

Ein Prinzipienreiter in Sachen Liebe?

Eine Seite, die sie noch nicht an ihm kannte, und mit der zurechtzukommen ihr mehr als schwerfiel.

Sie stand auf, ging langsam ins Bad, machte Licht, um alles genau zu sehen. Vor dem Spiegel zog sie ihr T-Shirt nach oben und betrachtete ihren Busen. Die dünnen, silbrigen Streifen, die Haut, die zu den Achseln hin dunkler und gröber wurde. Ihre Brüste, die sie so lange als zu klein und nicht wohlgerundet genug gefunden hatte, erschienen ihr heute wie das Sinnbild von Schönheit und Vollkommenheit schlechthin.

Es waren zwei. Zart, perfekt und gänzlich unversehrt.

Sie ließ ihr Hemd fallen und dachte an Hanne. Sina fühlte sich so müde, daß sie am liebsten geweint hätte.

✦

Sie lag schon im Bett, weniger schläfrig, als vielmehr unfähig, aus innerer Nervosität etwas anderes anzufangen, da ließ sie ein plötzlicher Impuls noch einmal aufstehen. Irgend etwas kreiste in ihrem Schädel wie ein orientierungslos gewordener Bumerang, aber jedesmal, wenn sie danach zu fassen versuchte, löste es sich sofort mit höhnischem Gelächter in Luft auf.
Eine Idee war ihr trotzdem soeben in den Sinn gekommen.

Liebe Frau Frisch, schrieb sie in großen, ungeduldigen Buchstaben, *darf ich zu später Stunde die Pathologin in Ihnen reaktivieren? Sie würden mir einen Riesengefallen damit tun. Einer meiner Mandanten wurde tot aufgefunden, äußerlich unverletzt, aber mit Blutstauungen an Händen und Füßen. Eine natürliche Todesursache ist meines Erachtens auszuschließen. Mir kommt die Sache komisch vor. Mein Bauch sagt mir, daß etwas faul daran ist, und wie alle Strafsachen verspricht auch diese komplexer und rätselhafter zu werden, als es auf den ersten Blick erscheinen mag. Leider beginnt die Polizei bereits das Interesse zu verlieren. Aber ich möchte und muß die Wahrheit herausfinden. Das bin ich dem alten Herrn schuldig.*
Werfen Sie freundlicherweise mal einen Blick auf die Analyse seines Mageninhalts? Er war achtundsiebzig, berühmt (Opernsänger) und seit langer Zeit herzkrank.
Über eine schnelle Antwort freut sich

Ihre Sina T.

Sie überflog das Geschriebene, begann dabei, an ihrem Füller herumzukauen, Friederikes Geschenk zu ihrem Geburtstag vor drei Jahren.

Jetzt nur nicht melancholisch werden! Rasch steckte sie Brief und Zettel in das Faxgerät, bevor sie sich noch einmal anders besinnen konnte.

Vierzehn

Schwach, aber unverkennbar hing da ein Geruch im Stoff seines Hemdes. Ein Duft, der mich irritierte, ganz vertraut und gerade deshalb so beunruhigend. Ich schnupperte an seinem Kragen, mit geschlossenen Augen, um herauszufinden, was es sein könnte, so ungestüm, daß er mich wegstieß.
»He, was soll das? Du bist doch kein kleiner Hund!«
Da war eine Spur von Ekel in seinem Ton, etwas Hartes, das mir trotz der lockeren Worte Angst machte und mich abstieß. Ich lachte, obwohl mir in diesem Moment offener Zurückweisung alles andere als danach zumute war.
»Natürlich nicht. Sonst müßte ich dich ja ständig beißen, oder?« Spielerisch schnappte ich nach seinem Ohr. »Ich bin deine Frau, falls du es vergessen haben solltest. Deine einzige, große Liebe.«
»Dann beweis es auch! Beweis es mir jetzt – auf der Stelle!«
Wir wurden plötzlich beide still. Jean griff nach mir. Seine Hand, die in mein Höschen kroch, war trocken und sehr heiß. Als er an meinem Kleid riß, schloß ich die Augen.
»Beweg dich nicht!« verlangte er und zog mich auf sich.
Ich spürte ihn viel zu schnell in mir, atmete scharf ein, um den Schmerz zu verringern, und bewegte mich wiegend vor und zurück. Er stieß zu, so hart, so heftig, als wolle er mich durchbohren. Als ginge es um Kampf, nicht um Lust. Und darum, mich zu bezwingen.
Immer öfter tat er es auf diese Weise mit mir, und ich war zu besessen von ihm oder nicht mutig genug, um ihm zu sagen, wie ich es lieber gehabt hätte.

160

Wir trafen uns heimlich im Weizenfeld, in der Scheune, auf dem Hochsitz oder in der Bootshütte am nächtlichen Ufer. Jean war mein Liebhaber, sein Körper verband sich mit meinem in immer neuer Ekstase. Ich brannte vor Liebe, konnte nicht schlafen vor Sehnsucht und brachte kaum einen Bissen hinunter, so dringlich und unbedingt zählte ich die wertlosen Minuten bis zum nächsten Wiedersehen. Gleichzeitig jedoch war ich mir alles andere als sicher, ob auch er ähnlich empfand.

Launisch war er, mein Geliebter, unberechenbar. Kam zu spät, ließ mich stundenlang warten, um schon am nächsten Tag wieder so zu drängen, daß ich weder aus noch ein wußte. Behielt sich ein Recht auf Stimmungen, Distanz, ja plötzliche Grausamkeit vor.

Und dann wieder diese Traurigkeit, die mir mehr als alles andere Angst machte.

Erst viel später, als alles schon lange vorbei war, als nichts mehr für mich zählte, als mein Verrat mit all seinen schrecklichen Konsequenzen für die Menschen, die ich am meisten geliebt hatte, nicht mehr gutzumachen war, verstand ich, daß die tiefe Melancholie in seinen schönen Augen nichts Vorübergehendes gewesen war, keine Laune oder Anwandlung, sondern untrennbarer Teil seines Seins.

Dabei wollte ich ihn heiter, ausgelassen, glücklich. Tat ich nicht alles, damit er so sein konnte? Und schien nicht das Schicksal auf unserer Seite?

Tausend Gemeinsamkeiten wurde ich nicht müde zu entdecken, die uns – und nur uns beide – vereinten. Wir waren beide im Sternzeichen Stier geboren, feierten Geburtstag, wenn das Frühjahr voll und saftig wurde; bekamen beide am ganzen Körper Pusteln, wenn wir Erdbeeren aßen, und konnten die samtige Haut von Pfirsichen nicht anfassen, ohne uns vor Abscheu zu schütteln; wir liebten beide das Wasser und schwammen nachts splitternackt im Weiher wie schwerelose, übermütige Seewesen.

Waren wir nicht einzigartig, beispiellos, unwiederholbar? Ohne einander gar nicht vorstellbar?

Außerdem war ich nicht nur seine Geliebte, jedenfalls nicht immer. Ich war auch sein junger, lasziver Freund, der sein hungriges Geschlecht mit den Lippen liebkoste. Der ihm ab und zu erlaubte, ihn so zu lieben, wie es Männer miteinander tun.

»Vollkommene Liebe ist immer androgyn«, flüsterte Jean, wenn wir beide ermattet im Gras lagen.

Über uns die Sonne.

Über uns der Sternenhimmel.

Über uns ein träger, voller Mond.

»Ist doch eigentlich ganz unwichtig, wen man liebt, eine Frau oder einen Mann, oder eine Frau und einen Mann. Oder alle Männer. Alle Frauen. Hauptsache, man liebt ... «

Was hätte ich damals schon anderes machen können, als beistimmend zu murmeln, auch wenn sich mein Herz in unbestimmter Ahnung schmerzlich zusammenzog?

Und er hat nicht einmal unrecht damit gehabt: Liebe kennt keine Grenzen, kein Maß, kein Alter oder Geschlecht. Weder Regeln und Verbote noch Moral.

Wer liebt, für den führt kein Weg zurück.

◆

Und doch war mitten in jenem herrlichen, schrecklichen, jenem verrückten Sommer, in dem ich nur noch lebte, nur noch atmete, um Jean zu lieben, etwas anders geworden. Eine dunkle, unheilschwangere Wolke hatte auf einmal mein Glück verdüstert.

Der Gedanke an jenen Geruch verfolgte mich. Und ich roch ihn wieder.

An Jeans Brust, seinem Haar, seinen Schenkeln. Von Tag zu Tag intensiver, jedenfalls kam es mir so vor.

Das konnte nur sie sein – die Verlobte!

Die Saat des Argwohns ging in mir auf wie eine vergiftete Blüte.

Meine Leidenschaft steigerte sich zur Raserei, meine Begierde wuchs ins Unendliche. Denn Eifersucht tötet die Liebe, nicht aber das Verlangen.

Natürlich war ich nicht bereit aufzugeben. Ganz im Gegenteil. Wie eine Tigerin würde ich um ihn kämpfen. Das Schicksal hatte mir diesen einzigartigen Mann bestimmt. Ihm hatte ich meine Unschuld geopfert, meine Zukunft, meine Vergangenheit. Mir gehörte er.

Und keine andere durfte ihn mir nehmen.

Wie ein Teufel tanzte die Eifersucht in meinem Leib herum. Ich wachte mit ihr auf, schlief mit ihr ein. Kaum ein anderes Gefühl, das so körperlich, so unbedingt ist. Ich lernte in diesen Nächten, daß die Liebe niemals so heftig ist wie dann, wenn man fürchtet, sie würde einen verlassen. Oder einem genommen.

Und, was fast noch schlimmer war, ich konnte meinen Schmerz mit niemandem teilen, war zur Stummheit verdammt, allein mit der galligen Flut, die über mich hereingebrochen war.

Von einem Moment zum anderen begann ich, Amelie mit anderen Augen zu sehen. Für mich war sie immer eine unauffällige, freundliche Frau gewesen, ziemlich alt, wie ich in meinem jugendlichen Hochmut geurteilt hatte, mit langem, düsterem Haar und gleichmäßigen, eher langweiligen Zügen. Mit einem Mal jedoch war der gnädige Schleier vor meinen Augen gerissen.

Wie hatte ich nur so naiv, so lange blind sein können?

Schon sie nur anzusehen, ließ mich so eifersüchtig werden, daß ich am liebsten meinen Kopf gegen die Wand gerammt hätte. Ihre Wangen färbten sich auf bezaubernde Weise rosig, wenn sie lächelte. Erst kürzlich hatte sie sich die Haare schneiden lassen, der Sommerhitze wegen, wie sie behauptete, und trug nun einen modischen, kinnlangen Bubikopf, der ihre Mandelaugen geheimnisvoll erscheinen ließ und den schlanken Hals betonte. Die Sonne hatte rötliche Strähnen hineingezaubert, die bestens mit den hellen, kühlen Wassertönen der Kleidung harmonierten, die sie am liebsten anzog.

Außerdem steckten Jean und sie ständig die Köpfe zusammen, unterhielten sich halblaut, lachten, diskutierten angeregt. Ich sah, wie sie Bücher austauschten, sich gegenseitig Gedichtzeilen vorlasen. Und wenn sie erhitzt und leicht zerzaust aus seinem hellen Cabriolet stieg, anmutig und selbstverständlich, als sei sie und keine andere seit jeher die Frau, die an seine Seite gehörte, hätte ich sie eigenhändig erdrosseln können. Zumal sie, wie ich nach heimlicher Überprüfung ihres Passes feststellen mußte, alles andere als alt war, sondern an einem gewittrigen Sommerabend erst ihren siebenundzwanzigsten Geburtstag feiern würde.

Maman hatte mich schon vor Wochen gebeten, zu diesem Anlaß einen meiner Phantasietänze aufzuführen, die ich seit einiger Zeit in der Scheune probierte, nachdem ich mich schon vor Jahren geweigert hatte, weiter Ballettstunden zu nehmen. Natürlich hatte ich damals freudig zugesagt, was ich inzwischen allerdings von ganzem Herzen bereute. Doch die Vorstellung, zu maurischen Klängen meinen schlanken Leib zu bewegen, allein für Jean, meinen heimlichen Geliebten, der als einziger wußte, daß dies nur die Verheißung anderer, kühnerer Genüsse sein würde, erregte mich. Und die Vorstellung, es in aller Öffentlichkeit zu tun, erst recht.

Als ich aber in meinem selbstentworfenen Kostüm auf die provisorische Bühne trat, die Bobo für mich gebaut hatte, war alles ganz anders. Das Fest war schon ziemlich fortgeschritten; viele der Gäste schienen angetrunken. Keine laue, sinnliche Mondnacht, sondern auffrischende Böen, die Donner und Blitz ankündigten. Vor allem entdeckte ich Jean nirgendwo.

Von Riri und Friedl war ebenfalls nichts zu sehen.

Lustlos fing ich an. Und wußte schon nach den ersten Schritten, daß ich schlecht war. Um vieles schlechter, als jemals zuvor. Meine Füße schienen am Boden zu kleben, die Glieder verwei-

gerten die gewohnte Geschmeidigkeit. Das Grammophon tönte laut in meinen Ohren, erschien mir scheppernd und kläglich. Ich kam mir vor wie ein zu groß geratenes Schulkind, das Mutters geblümte Tücher stibitzt hat, um sich vor Erwachsenen wichtig zu machen und in Wirklichkeit ein lächerliches, ja geradezu peinliches Schauspiel bietet.

Trotzig und mit Tränen in den Augen brachte ich zu Ende, was ich begonnen hatte.

Freundlicher, in meinen Ohren lustloser Beifall.

Amelie sprang auf, lief auf die Bühne, drückte mich fest an sich.

»Du warst wunderbar, meine Kleine! Geradezu sensationell!«

Ich spürte durch den dünnen Stoff ihren wogenden Busen, der sich gegen meine Rippen preßte, ihre weichen Arme, roch ihr Parfüm – und stutzte.

»Ich prophezeie dir eine große Zukunft, Rita! Ach, was sage ich: Die Welt wird dir zu Füßen liegen. Du mußt Künstlerin werden, mein Mädchen, unbedingt! Und wenn du willst, dann unterstütze ich dich dabei. Ich kenne ein paar einflußreiche Leute, die dir weiterhelfen könnten. Und du mußt auf alle Fälle so rasch wie möglich nach Berlin! Ganz egal, was Maman oder Papa dazu auch sagen.«

Noch immer hielt sie mich widerlich fest umklammert, während meine Gedanken rasten. Ich mußte mich täuschen. Es gab keine andere Möglichkeit. Aber so intensiv ich auch schnupperte, es war und blieb eindeutig: Das war nicht der Duft, der mich an Jean die ganze Zeit so verrückt gemacht hatte.

Aber wenn nicht sie, wer dann?

Maman erlöste mich, indem sie auf die Bühne kam und mir ein Glas Waldmeisterbowle brachte, das ich durstig hinunterstürzte.

Ziemlich barsch verlangte ich ein weiteres, um die Stimmen in meinem Inneren zum Schweigen zu bringen, die zu lautem, höhnischem Gebrüll anwuchsen.

Aber Maman schüttelte den Kopf. »Eines ist mehr als genug, so erhitzt, wie du jetzt bist. Du solltest dich jetzt lieber umziehen, Rita. Der Regen wird bald kommen. Und dann kann es, wie du weißt, ganz schnell kalt werden.«

Wortlos stapfte ich in mein Zimmer, riß mir die bunten Fetzen vom Leib und rieb mich trocken. Ich war halbnackt, als plötzlich die Tür aufging.

»Raus!« brüllte ich, als ich Friedls stämmige Gestalt im Halbdunkel entdeckte. »Was fällt dir ein?«

»Ich will dir etwas zeigen.«

»Jetzt? Kein Interesse.«

Er war ein Kind für mich, ein Nichts. Riris nimmermüder Schatten, weshalb ich ihn insgeheim verachtete. Irgendwie tat er mir sogar ein bißchen leid. Gaubte er wirklich, das tun zu können, was keinem Menschen je gelingen würde – mich bei meinem Zwillingsbruder ersetzen?

Ich machte mir nicht einmal die Mühe, meine Blöße mit dem Handtuch zu bedecken.

»Ich glaube doch.« Nicht einen Millimeter rührte er sich von der Stelle.

»Und was soll das sein?«

»Wirst schon sehen. Mußt aber schnell machen. Sonst kommen wir womöglich zu spät.«

Bis heute weiß ich nicht, weshalb, aber er hatte mich seltsamerweise überzeugt. Wie unter einem inneren Zwang schlüpfte ich in Hemd, Hose und Schuhe und folgte ihm. Er lief voran, überraschend schnell, wie ich fand, jedenfalls hatte ich einigermaßen Mühe mitzuhalten. Das Stück zum Wald, wo der Weiher lag.

Und das Bootshaus.

Unsere Liebeshütte.

»Es reicht!« Ich versuchte die ganze Autorität meiner sechzehn Sommer in die Stimme zu legen. »Keine Lust mehr. Außerdem

bin ich müde. Mach, was du willst! Ich geh jetzt zurück ins Haus.«

»Würd' ich nicht, wenn ich du wäre«, erwiderte er ruhig. »Jedenfalls noch nicht. Könnte dir sonst leid tun.«

Er gab mir einen Schubs. Um ein Haar wäre ich hingefallen, aber mit meinen ausgestreckten Händen stützte ich mich an der Wand des Bootshauses ab, das aus rohen Stämmen gefertigt war, kunstlos aneinandergefügt. Durch die Ritzen und Löcher konnte man erkennen, daß Licht im Inneren schimmerte. Außerdem waren schwache Geräusche zu hören, Stöhnen oder Seufzen.

»Bück dich!« kommandierte Friedl aus dem Hintergrund. »Nicht so tief, ja, halt! Und jetzt schau! Na, hab ich dir zuviel versprochen?«

Ein ovales, perfektes Loch. Exakt in seiner Augenhöhe zurechtgeschnitzt. Ich preßte mein Gesicht an das rauhe Holz. Inzwischen regnete es, stark sogar und gleichmäßig, aber ich spürte es nicht.

Zwei nackte Körper, schweißnaß, ineinander verschlungen. Höhlungen, voll köstlicher, gespannter Dunkelheit. Gespannt auch die Wölbungen, hell. Ich sah, wie sich die beiden für einen Augenblick voneinander lösten, um sich erneut lustvoll ineinander zu verlieren.

Wie sie lächelten.

Sich küßten.

Sich berührten. So, wie es einzig und allein Liebende tun.

Ich schloß gequält die Lider. Riß sie wieder auf. Es war kein Traum. Es war wahr.

Mir stockte der Atem. Mein Herz raste. Und kalte, verzweifelte Wut stieg in mir empor. Ich war nichts als ein Zerrspiegel gewesen, ein billiger Ersatz, ein Golem aus Fleisch und Blut!

Denn nun gab es nicht den geringsten Zweifel mehr, wer mich als Rivale um Jeans Gunst besiegt hatte.

Fünfzehn

Als Sina am Samstagmorgen aus dem Lift trat, stand die Tür zur Kanzlei sperrangelweit offen. Drinnen im Flur lehnte ein grinsender Stadtindianer mit akkurat zurückgebundenem Pferdeschwanz und Tigershorts. Gesicht, Arme und die kräftigen, mit Gummiringen geschmückten Beine waren mit einer dünnen Staubschicht bedeckt, die im Gegenlicht fast golden schimmerte. Er sah auf verwegene Art gut aus, wesentlich ansprechender jedenfalls als der verschwitzte bayerische Installateur, der Sina seit Anfang der Woche mit seiner Begriffsstutzigkeit nervte. Schlanke Finger fabrizierten gerade eine Selbstgedrehte. Um den Hals hatte er lässig seine stark verschmutzte Staubmaske baumeln.

Dort wo sonst der Empfangstresen stand, sah sie einen fragil wirkenden Campingkocher, auf dem in einer verschmierten Kanne Espresso brodelte. Daneben stand eine große, im Augenblick stumme Schleifmaschine.

Vor dem Stadtindianer stolzierte Gschwell wie ein aufgescheuchter Hahn hin und her, während Frau Taranella, von Kopf bis Fuß in weißem Leinen, nervös an ihrer aufgespritzten Unterlippe nagte.

»Kein Wunder, daß Sie nicht fertig werden, wenn Sie dauernd rauchen oder Kaffee trinken!«

»Mal ganz ruhig, Meester!« Der Langhaarige ließ sich nicht aus der Ruhe bringen. »So wird des hier nix – gar nix. Kreative Pausen müssen sein. Det steht fest. Ohne die tickt der Mensch nicht richtig, und zwar ziemlich *subito*.

Und wat det Geschäftliche betrifft: Entweder Sie stellen meinen Kumpel ein oder et dauert eben noch ein paar Tage länger – det is janz einfach.«

Unüberhörbar, woher er stammte. Seitdem ihr Herz einem Berliner gehörte, war Sinas Sympathie für alle seine Mitbürger deutlich gestiegen. Besonders, wenn es sie in die Münchner Diaspora verschlagen hatte.

»Wir hatten vereinbart, daß Sie am Wochenende fertig werden!« Gschwells volles Gesicht war rot, die hellen Augen quollen leicht aus den Höhlen hervor. »Das hatten wir!«

»Hatten wir, hatten wir, det stimmt haarjenau. Aber da hatte ick auch nicht diesen Scheiß ... pardon, die Damen! Ick meene, diesen unsäglichen Boden hier in näheren Augenschein jenommen, den man als Minimum fünfmal mit verschiedenen Papierstärken schleifen muß, damit er zumindest einigermaßen aussieht. Keene Ahnung, was für ein Kleber da drauf war, aber ick könnte wetten, ausm vorletzten Jahrhundert mindestens. Det hält eben auf, wenn man sorgfältig arbeitet. Und Pfusch liefere ick nun mal nich ab. Da müssen Se sich einen anderen suchen. Aber wenn Se wollen, kann ick meinen Kram auf der Stelle zusammenpacken und abhauen. Sie müssen nur Bescheid sagen. Und natürlich die bisherigen Leistungen bezahlen. *Cash* – versteht sich.« Seine Finger vollführten eine eindeutige Bewegung. Er blies einen perfekten Rauchkringel in die Luft.

»Wollen Sie och eene haben?« Er mußte Sinas lechzenden Blick bemerkt haben.

»Danke, nein. Bin gerade mal ein paar Wochen *clean*, und das war schon schwierig genug.«

»Kenn ick. Aber nix ist doch so schön, wie richtig schwach zu werden, wa?«

Er tat, als seien er und Sina allein. Gschwell pumpte sich auf, daß man Angst haben mußte, er werde im nächsten

Moment platzen. Sina preßte die Lippen zusammen, um nicht laut rauszuprusten. Frau Taranellas Liebhaber steckte in einer Zwangslage – sein Hang zu preissparender Schwarzarbeit, die meistens allerdings auf Kosten der Mieter ging, war bereits im ganzen Haus bekannt.

Sina räusperte sich. »Wenn ich vielleicht auch etwas zu der leidigen Angelegenheit anmerken dürfte?«

Gschwells verbockter Miene und dem versteinerten Gesicht seiner Herzallerliebsten entnahm sie, daß dies eigentlich nicht vorgesehen gewesen war. Deshalb ließ sie das Traumpaar links liegen und wandte sich erneut an den Stadtindianer.

»Wie lange brauchen Sie? Ganz realistisch gesehen?«

Er deutete mit dem Daumen lässig nach hinten. »Ihre Bude, junge Frau?«

»Gut erkannt. Ich bin die Mieterin. Und das ist meine Kanzlei.«

»Tja, wenn ick meinen alten Kumpel Felix noch rumkriege, schnell rumkriege, will ick sajen, könnten wir morgen mit dem Schleifen fertig werden. Allerdings nur dann. Sonst – keene Chance. Danach wird lackiert. Und dann muß et ja schließlich och noch trocknen. Von den Leisten am Ende janz zu schweigen.«

»Was im Klartext bedeutet?«

»Sie machen sich am Montag einen jemütlichen freien Tag, besser sogar, Sie nehmen den Dienstag gleich noch dazu, bis der Jeruch janz verflogen ist und allet in Ruhe aushärten kann. Und wenn Sie Mittwoch morgen hier reinkommen, dann brauchen Sie einen Stock, damit Sie nich gleich umfallen, so schön is et geworden. Dafür garantiere ick Ihnen. Höchstpersönlich. Und wat Atze verspricht, det hält er och.«

Sina drehte sich zu ihrer Vermieterin um.

»Ich kann Ihnen nur dringend empfehlen, sich den Vorschlägen dieses Fachmanns anzuschließen. Atze, oder? So war doch der Name?«

Er lachte zustimmend mit vielen weißen Zähnen.

»Denn wenn ich die kleinsten Mängel am Parkett feststellen muß oder spätestens am Mittwoch um Punkt acht meinen Kanzleibetrieb nicht wieder aufnehmen kann, brumme ich Ihnen alle anfallenden Kosten auf. Mietminderung wäre in diesem Fall noch das mindeste, mit dem Sie zu rechnen hätten.«

Frau Taranellas Lider zuckten. Seit dem letzten Lifting hatte sie ab und zu gewisse Schwierigkeiten, ihre Züge unter Kontrolle zu halten.

»Also, was ist: Engagieren Sie seinen Felix nun endlich?«

◆

In verbissener Fröhlichkeit fuhr sie weiter zur Alten Pinakothek, fest entschlossen, ihr Programm bis zum letzten Punkt durchzuziehen. Wenn Laszlo auf stur schaltete, dann brachte sie das schon lange! Wer behauptete eigentlich, daß man sich in München nur als verliebtes Paar amüsieren konnte?

Sie fand einen Parkplatz dicht vor Leo Klenzes schönem Bau, der im hellen Sonnenlicht dalag, zog das Handy heraus und informierte erst einmal ihre Bürovorsteherin von der Aussicht auf zwei unerwartet freie Tage. Im Hintergrund hörte sie das laute Singen des irischen Ehemannes John, dann Jackys lautes Bellen. Hocherfreut versprach Tilly Malorny, die frohe Botschaft sofort an Anke und Marina weiterzugeben und alle Mandantentermine zuverlässig zu verschieben. Bevor Sina sich verabschieden konnte, platzte sie mit dem heraus, was sie offenbar schon lange beschäftigte.

»Was ist eigentlich mit Frau Bromberger?«

»Die ist doch in Wien«, erwiderte Sina vorsichtig. »Ich denke, noch für eine ganze Weile.«

»Ist sie nicht. Und hören Sie bitte auf, mich für dumm zu verkaufen! Damit kommen Sie vielleicht bei den anderen beiden durch, aber nicht bei mir.« Tilly senkte die Stimme zu einem vertraulichen Flüsterton. »Sie wissen genau, daß ich schweigen kann. Aber ich mach mir solche Sorgen. Schon die ganze Zeit. Also, was ist wirklich los?«

»Sie ist krank, Tilly.« Sina gab sich einen Ruck. Über kurz oder lang würden die anderen ohnehin erfahren müssen, wie es um ihre Sozia stand. »Mehr kann ich Ihnen im Moment nicht sagen, weil Hanne es nicht möchte. Aber es wird alles für sie getan. Menschlich und medizinisch.«

»So schlimm?« Man hörte, wie echt die Besorgnis war.

»Ziemlich. Ich denke, wir werden in nächster Zeit sehr behutsam mit ihr umgehen müssen.«

»Natürlich! Ist doch gar keine Frage. Und sagen Sie ihr, daß ich oft an Sie denke. Wenn sie möchte ...« Da war doch tatsächlich so etwas wie ein unterdrücktes Schluchzen. »Ich weiß nicht genau, wie ich es ausdrücken soll. Natürlich kann Jacky so lange bei mir bleiben, wie sie will. Ist doch selbstverständlich! Und ... ich bin immer für sie da. Sagen Sie ihr das bitte auch! Das erst recht.«

»Mach ich, Tilly, versprochen!«

Sie stieg aus, genoß den Sommerwind, der ihren plissierten Rock flattern ließ, und betrat als einer der handverlesenen Besucher, die an diesem schönen Tag zu erwarten waren, das kühle Museum, um sich eine Eintrittskarte zu kaufen.

Die Freundin hatte sie ohnehin die ganze Zeit in ihren Gedanken begleitet, aber als sie die vielen Steinstufen zum ersten Stock hinaufstieg, war es Sina, als gehe Hanne neben ihr. Die neue Klimaanlage, einer der Hauptgründe für den langen, kostspieligen Umbau des ehrwürdigen Gebäudes, funktionierte ausgezeichnet; es war kein bißchen zu warm, sondern angenehm temperiert. Das einzige, was sich störend auswirkte, war der penetrante Geruch nach heißen Würstchen, der der offenen, ebenfalls neu eingerichteten Cafeteria entströmte.

Sina ließ sie links liegen und wandte sich als erstes dem Saal der deutschen Meister zu. Die vielen großformatigen Dürerbilder ließ sie rasch hinter sich, auch eine verbissen dreinblickende Lucrezia, die eher einem düsteren Fleischberg als einer verführerischen Renaissancemetze ähnelte.

Im nächsten Saal wurde es leichter und lichter; sie blieb eine ganze Weile vor Cranachs berühmtem Gemälde »Venus und Adonis« stehen. Sie war allein im Raum, die optimale Gelegenheit, alles in Ruhe auf sich wirken zu lassen. Müßte man eigentlich viel öfter machen, dachte Sina, als sie langsam weiterschlenderte, und Hanne werde ich auch dazu animieren. Damit die nicht Sonntag für Sonntag mit ihrem Bill in der Reihenhäuschenidylle versackt. Dann wird sie auch bestimmt schneller wieder gesund. Und meine Hanne wird gesund werden!

Plötzlich hielt sie inne.

Schaute auf zu dem prächtigen Bild, das vor ihr hing, und zog wie in Trance die Kunstpostkarte aus ihrem Leinenblazer, eine billige Reproduktion, wie billig, bemerkte man erst, wenn man vor dem Original stand. Das war genau das Motiv, das sie bei Fürst gefunden hatte – auch eine Lucrezia Borgia, aber welch ein Unterschied!

Die Dame, die Lucas Cranach d. Ä. auf die Leinwand gebannt hatte, war subtil, erotisch, lockend. Ihr sanft gewölbter Leib, den der Schleier kunstvoll modellierte, verhieß alle Freuden der leiblichen Liebe, ihr traumwandlerischer Blick, der den Betrachter leicht melancholisch streifte, verriet, daß sie sehr wohl wußte, was Ekstase bedeutet. Selbst der Dolch, den sie eher spielerisch an die rechte Brust setzte, schien eher schmückendes Beiwerk zu sein denn ein gefährliches Mordinstrument, ähnlich wie das schwere Geschmeide, dessen rötlicher Goldton mit ihren aufgelösten Locken harmonierte. Trotz aller Sinnlichkeit war da etwas Zartes, Feines, das ihre Ausstrahlung geheimnisvoll und anziehend machte.

Sina drehte die Karte um, las zum dutzendsten Mal die hingeworfene Zeile und die verschlüsselte Unterschrift. Wortlaut und Motiv mußten etwas bedeuten, das stand für sie fest. Beides hatte mit Fürsts mysteriösem Ableben zu tun. Aber sie hatte leider nicht die mindeste Idee, was.

✦

Natürlich hatte Carlo sich nicht an Hannes Verdikt gehalten, ebensowenig wie Louis Levin. Sie traf die beiden Freunde am Bett der Kranken an, die heute zum erstenmal einen frischeren Eindruck machte. Hanne trug ein türkisblaues Nachthemd, das ihren Teint belebte, und hatte sich die rotblonden Haare zu einer frechen Igelfrisur hochgebürstet. Sie schien Zoff mit ihrer Zimmernachbarin zu haben, einem pummeligen jungen Mädchen mit Stupsnase und neugierigen, blauen Augen, das ohne falsche Scham sein Kopftuch ablegte und seinen blanken Schädel zeigte.

»Na klar war ich früher schöner, aber was soll's? Dafür weiß ich jetzt viel genauer, was ich mit meinem Leben anfange. Egal, wieviel Zeit mir dafür noch bleibt! Und wenn ich doch die große Flatter machen muß, ich meine, früher, als mir vielleicht lieb ist, dann sterbe ich wenigstens nicht ganz so dusselig wie früher. Ist doch auch schon was, oder?«

»So geht das ununterbrochen! Kannst du ihr bitte sagen, Sina, daß sie endlich damit aufhören soll?« sagte Hanne verschnupft. »Seit gestern abend nervt die mich mit ihren neunmalklugen Sprüchen. Ich hab bereits um Verlegung gebeten, aber es ist wohl im Augenblick nichts anderes frei. Sag selber: Wie soll man neben einer wie der gesund werden?«

»He, Alte, mach mal halblang!« Das Mädchen saß jetzt an Hannes Bett. »Das muß ich mir vor meiner fünften Chemo nicht anhören, ja? Schau lieber ganz genau bei mir hin, ja, dann weißt du nämlich, was einem alles so passieren kann. Ich bin gerade mal siebzehn, verstehst du, und hab noch nicht einmal einen richtigen Freund gehabt. Gegen mich stehst du noch prima da mit deiner einen Brust, das kann ich dir sagen. Und wenn dir das erspart bleibt, was ich hab durchmachen müssen, kannste zumindest dankbar sein.« Sie schniefte ungeniert, ohne sich die Mühe zu machen, nach einem Taschentuch zu suchen.

»Außerdem bin ich keine ›die‹ oder ›ihr‹, sondern Julie Teresa Schmidt. Sag ich dir jetzt schon zum drittenmal. Zeit, daß du es endlich raffst. Denn wenn die Ärzte und Schwestern heute abend mit ihren widerlichen Schläuchen angepest kommen, ist die Gelegenheit für gepflegte Konversation erst mal *over*, kapiert?«

Sie stolzierte zurück in ihr Bett, setzte sich Kopfhörer auf und wiegte sich im Takt der Musik.

Hanne nahm ein paar Bissen von der Erdbeertorte, die L. L. vor ihr aufgetürmt hatte. »Unverschämte Göre«, sagte sie halblaut und schaute nach links, aber es klang fast schon amüsiert. »Kein bißchen Respekt vor dem Alter! Raubt mir noch den letzten Nerv. Das gilt übrigens auch für euch beide. Könnt ihr Typen denn niemals machen, was man euch anschafft?«

Carlo und L. L. kicherten.

»Gar keine schlechte Therapie«, bemerkte Sina. »Ordentlich kontra hat noch immer am besten bei dir gewirkt.« Sie wurde leiser. »Soll ich Bill wirklich nicht anrufen?«

»Nein«, entgegnete Hanne fast unhörbar. »Ich hab heute mit ihm telefoniert. Er glaubt, ich bin noch immer in Wien. Und das ist bis auf weiteres auch gut so.«

Carlo und Sina tauschten besorgte Blicke, während Louis sich hingebungsvoll dem Rest der Erdbeertorte widmete.

»Es gibt übrigens Neuigkeiten von meiner Markenpiraterie«, sagte Carlo, als das Schweigen lastend wurde. »Der Gastwirt meines Lokals half mir auf die Spur, woher die heiße Ware kommt.«

»Wäre das nicht Sache der Staatsanwaltschaft?« konterte Sina scharf. »Du weißt genau, wie wenig ich es ausstehen kann, wenn Laien glauben, eigenmächtig Räuber und Gendarm spielen zu müssen.«

»Die war auch schon bei ihm«, erwiderte Carlo leicht gekränkt darüber, daß sie ihm sein Spiel verderben wollte. »Ich weiß gar nicht, wieso du auf einmal so kiebig bist, Sina. Ich kann mich lebhaft an ein halbes Dutzend Fälle erinnern, bei denen du rein gar nichts gegen mein kriminalistisches Talent einzuwenden hattest – ganz im Gegenteil, meine Liebe! Natürlich hat mir der Wirt nichts verraten, was er nicht auch schon der Staatsanwaltschaft gesagt hätte. Aber man wird als engagierter Endverbraucher ja schließlich auch noch seine Recherchen anstellen dürfen, oder?« Sie hatte ihn offenbar wirklich getroffen. »Außerdem gibt es Delikte, die eindeutig übler sind als andere. Und frisierter Wein gehört für mich nun mal zu den allerübelsten.«

176

»Rück endlich raus damit!« verlangte Hanne vom Bett aus.

»Also, wenn ihr es schon ganz genau wissen wollt: Die Fuhre stammt von einem gewissen Luigi, Nachname natürlich unbekannt.«

»Was es nicht gerade einfacher machen dürfte, ihn aufzustöbern«, schaltete L. L. sich fachmännisch ein. Als Strafverteidiger verfügte er über reichliche Erfahrungen mit Verdächtigen, die plötzlich untertauchten, oder Zeugen, die von einem Tag auf den anderen ihr Gedächtnis verloren.

»Aber nicht bei unserem Luigi. Der fährt nämlich einen weißen Laster und kommt alle zwei Monate vorbei.«

»Und weiter?« fragte Sina ungeduldig.

»Nächsten Mittwoch ist es wieder soweit. Der Staatsanwalt ist schon informiert. Ich darf dabei sein, hat er versprochen. Und dann, dann schnappen wir ihn uns ... diesen üblen Panscher!«

✦

Später dann, im bayerisch-japanischen Wirtshaus, nach gemischten Sushis und Schweinswürstelspießchen, fragte er sie, was eigentlich los sei.

»Nichts«, sagte sie wortkarg.

»Aha«, bemerkte Carlo van Rees vielsagend. »Die Sehnsucht ist wie ein Hund, Sina. Die läuft einem immer hinterher. Ist es vielleicht das?«

»Kann schon sein«, murmelte sie.

»Und wieso fährst du dann nicht einfach zu ihm? Männer mögen es, wenn eine Frau ihnen zeigt, daß sie sie braucht. Wenigstens ab und zu.«

»Vielen Dank für die Belehrung! Wenn ich wieder eine brauche, sage ich Bescheid, ja?«

»So schlimm?« Carlo lächelte.

»Schlimmer.« Sina fühlte sich erschöpft und körperlich gereizt. »Denn natürlich wird er *nicht* anrufen. Ich ahne schon, wie die Sache abläuft. Spätestens morgen werde ich wahnsinnig bei dem Gedanken, was er mit seiner Kollegin Jutta Pachmann alles in der Toscana anstellen könnte. Seit Jahren ist sie scharf auf ihn. Das weiß nicht nur ich, sondern halb Berlin. Gegen soviel Hingabe ist kein Mann auf Dauer gefeit. Und er wird allein schon deshalb wie verrückt mit ihr flirten, um mir eins auszuwischen. Dafür werde ich ihn hassen. Und anschließend mich um so mehr.«

»Eifersucht ist nun mal zickig und doof«, erwiderte Carlo ruhig. »So ziemlich das Schlimmste, was einem passieren kann. Und was willst du anstellen, Sina, um nicht in diese gefährlichste aller Fallen zu tappen?«

»Nichts.«

»Nichts?«

»Ich sitz doch schon mittendrin.« Mißmutig schob sie ihr Weinglas weg, holte die Kunstpostkarte aus der Jackentasche und schob sie ihm hin. »Arbeiten vielleicht? Das hat bisher noch immer am ehesten funktioniert. Was fällt dir dazu ein?«

»Eine Frau«, sagte er nach einigem Nachdenken, »nicht mehr ganz jung, würde ich mal sagen. Aber mit gewissem Stil. Nicht unmusikalisch. Sie liebt Geheimnisse und Anspielungen. Und was ihr Verhältnis zu Männern betrifft, so könnte man davon ausgehen, daß es einigen Spannungen unterliegt.«

»Ist das Show oder echte Analyse?« unterbrach Sina ihn.

»Eine Mischung aus beidem.« Er lachte und bestellte sich ein weiteres Glas Rotwein. »Woher hast du die Karte?«

»Später. Erst will ich mehr dazu hören. Und jetzt ernst, bitte! Fang mit dem Verhältnis zu Männern an!«

»Na, das hatte ich noch am ehesten geraten. Aber Lucrezia

Borgia hat immerhin einige ihrer Gatten auf dem Gewissen, das gibt bei der Motivwahl doch zu denken, findest du nicht? Außerdem ist diese Handschrift mit einiger Sicherheit weiblich, geht leicht nach oben, was Ehrgeiz und Geltungssucht verraten könnte. Extreme Ober- und Unterlängen, Anzeichen für Narzismus. Nicht ganz sicher geschrieben. Entweder sie war in Eile oder stark erregt. Möglich auch, daß keine große handschriftliche Praxis vorliegt. Sie gibt sich mysteriös, indem sie einen Spitznamen benützt und ihren richtigen Namen verschweigt. Ein Hinweis auf bestehende oder geplante Vertraulichkeiten mit dem Adressaten.«

Er spähte über den Rand seiner Lesebrille.

»Darüber hinaus macht sie sich damit interessant. Oder sie ist lediglich clever.«

»Wieso das?«

»Manche Frauen weihen niemanden in ihr Beziehungs- und Sexualleben ein. Nicht einmal die engste Freundin. Weil sie nämlich wissen, daß einen Mann nichts so sehr beunruhigt und erregt wie eine Frau, die ihre Geheimnisse besser behält als er. Allein aus diesem Grund sind sie verschwiegen und verschleiern nach Möglichkeit Herkunft und Lebensumstände.«

Er trank einen Schluck.

»Carlos gesammelte Lebensweisheiten«, murmelte Sina. »Du solltest sie am besten als zweibändige Ausgabe herausgeben. Schweinsledern und mit Goldprägung.«

»He, du Beißzange, *du* hast mich gefragt! Soll ich aufhören?«

»Bloß nicht! Entschuldige bitte! War nichts als ein blöder Spruch.«

»Außerdem beherrscht sie das Repertoire des abendländischen Kulturkreises. Jedenfalls tut sie so.«

»Und weshalb das nun wieder?«

Jetzt hätte sein Grinsen frecher nicht sein können. »›Mit mir, mit mir, mit mir/Keine Nacht dir zu lang‹ – kennst du das nicht, meine Schöne? Das entstammt dem berühmten Libretto, das Hugo von Hofmannsthal für den ›Rosenkavalier‹ verfaßt hat.« Er rückte näher, faßte sie scharf ins Auge. »Darf ich nun erfahren, um welche Dame es hier geht? Vergiß nicht, ich bin so lange gut, solange meine Motivation anhält!«

Sina zog die Achseln hoch.

»Die Karte habe ich unter ein paar Uraltpornos in der Kommode des Kammersängers gefunden. Poststempel? Stammt aus München und ist gerade mal drei Wochen alt. Wer die Dame ist, wüßte ich selber nur allzugern, Carlo. Aber ich bin davon überzeugt, daß sie Fürst Ottl ins Jenseits befördert hat.«

✦

Sina war gerade nach Hause gekommen, als das Telefon klingelte.

»Tut mir leid, Frau Teufel, daß es etwas gedauert hat.« Dr. Antonia Frischs Stimme klang fröhlich und aufgeregt. »Aber ich wollte erst noch ein paar erfahrenere Kollegen konsultieren, um wirklich auf Nummer Sicher zu gehen.«

»Und das sind Sie jetzt?«

»Ja, das bin ich. Ich will Sie jetzt nicht mit chemischen Details langweilen, aber im Magen Ihres verstorbenen Mandanten wurde neben den verschiedenen anderen Substanzen Sildenafil gefunden. Beinahe dreihundert Milligramm. Ein Wirkstoff, der wahre Wunder bewirken soll. Erst recht in solchen Mengen.«

»Was bei Fürst jedoch offenbar nicht so geklappt hat, oder? Immerhin ist er tot.«

»Das kommt ganz auf die Betrachtung an.«

»Könnten Sie etwas deutlicher werden?«

»Aber selbstverständlich! Können Sie etwas mit dem Begriff ›im Galopp aus dem Sattel‹ anfangen? Übrigens hat Fallenstein den Kopf eingezogen. Die Androhung einer Klage wegen Sachbeschädigung und Nötigung hat schon gereicht. Es hat funktioniert, Frau Teufel, und dafür bin ich Ihnen unheimlich dankbar: Ich bekomme seine Kassenzulassung, und er läßt mich künftig in Ruhe arbeiten – hätten Sie das gedacht?

»Klar!« sagte Sina. »Essen im Mund ist eben noch lange nicht im Magen. Altes chinesisches Sprichwort. Ich wußte von Anfang an, daß Sie stärker sind als er. Wie war das mit dem Galopp und dem Sattel?«

»Bitte entschuldigen Sie! Aber ich bin vor Freude ganz durcheinander. Ein Bild, nichts weiter. Bißchen zu flapsig vielleicht, tut mir leid. Aber jetzt bin ich wieder ganz seriös. Nur ein einziges Medikament ist zur Zeit auf dem Markt, das diese Komponenten in sich vereinigt.«

»Und das wäre?«

Die kleine, effektvolle Pause, die sie nun einlegte, machte Antonia Frisch ganz offensichtlich großen Spaß.

»Viagra«, sagte sie schließlich. »Und er muß mindestens drei von den kleinen blauen Diamanten zur Erstarkung erschlaffter Manneskraft genommen haben. Höchstdosiert, wohlgemerkt. Und er war doch schwer herzkrank, oder?«

»Ja«, sagte Sina verblüfft. »Das war er.«

Sechzehn

Auf dem Flug nach Florenz saß sie in der Business Class, weil so kurzfristig kein preiswerterer Platz mehr frei gewesen war. Sie genoß im weichen, grauen Ledersitz den ungetrübten Blick auf die sonnigen Alpen, deren zackige Gipfel das letzte Restchen Schnee eigensinnig festhielten, den Campari auf Eis, den eine freundliche, blutjunge Stewardeß mit Salzmandeln serviert hatte, am meisten jedoch die Vorfreude auf Laszlos verblüffte Miene bei ihrem unvermuteten Anblick. Hanne hatte letztlich den Ausschlag gegeben, daß sie doch geflogen war, Hanne und Julie, ihre Zimmernachbarin.

Bei Sinas gestrigem Besuch in der Klinik war nichts mehr übrig gewesen von dem naseweisen Kobold, der selbstbewußt mit seinem blanken Schädel kokettiert hatte. Statt dessen lag ein kleines, sehr bleiches Mädchen in den Kissen, das verzweifelt stöhnte und sich zwischendrin immer wieder unter Krämpfen übergab. Sogar das runde Gesicht schien auf unerklärliche Weise geschrumpft, wirkte nun schmal, geradezu durchsichtig.

Immer wieder wechselte Hanne den kühlenden Waschlappen auf ihrer Stirn, was Julie jedesmal mit einem winzigen Lächeln belohnte. Sina fand die Freundin voller Tatkraft, fast schon kämpferisch. Und das bezog sich nicht nur auf Julie Schmidt.

»Gegen persönliche Krisen schützt man sich am besten mit einem Terminkalender. Ganz dein üblicher Stil. Stimmt doch, oder?«

Sina nickte unsicher.

»Schau mich an!« fuhr Hanne fort. »Und zwar ganz genau. Dann siehst du, wohin das mit der Arbeit als Schutzschild führen kann, wenn man es über Jahre betreibt und ganz zufällig noch etwas Pech hat. Mensch, Sina, das Leben ist doch viel zu kurz, um deine Zeit mit dem zu verschwenden, was du *nicht* willst!«

»Da hat sie ausnahmsweise recht«, murmelte Julie im Bett nebenan.

»Aber kann ich dich denn alleine lassen – jetzt?«

»Kannst du«, erwiderte Hanne fest. »Sollst du sogar. Ich will deine freche Nase hier die nächsten drei Tage nicht sehen, verstanden?«

»Meinst du, ich sollte wirklich nachgeben?« Sina war noch immer unschlüssig. »Aber wird er dann nicht glauben, daß ich künftig alles mache, was er verlangt?«

»Das ist vielleicht das Schwerste am Verzeihen«, entgegnete Hanne, »daß man darum bitten muß. Und das können wir beide so verdammt schlecht, du wie ich.«

»Ist eigentlich doch ganz egal, wer den ersten Schritt wagt, sagte Julie leise. »Hauptsache, einer von beiden hat soviel Mut, um es zu tun. Wenn ich mal einen Freund habe, dann mach ich es auf alle Fälle so. Das hab ich mir fest vorgenommen.« Der nächste Schwall drohte. Sie war kaum noch zu verstehen. »Ich meine natürlich, falls ich überhaupt jemals in diesen Genuß kommen werde.«

In diesem Moment hatte sie beschlossen, Bill anzurufen. Sie war es ihm schuldig, und Hanne erst recht, egal, was die Freundin auch immer behauptete. Mochte er ein Chaot sein und zu undurchsichtigen Geschäften neigen, die ihn schon mehr als einmal in erhebliche Schwierigkeiten gebracht hatten, er war nun mal der Mann, den sie sich vor einigen Jahren als Gefährten gewählt hatte. Außerdem kannte Bill Bergis keine Scheu, seine Gefühle zu zeigen, ein Vorzug aller Männer seiner früheren Heimat Lettland gegenüber den Konkurrenten aus Deutschland, wie er in Trinklaune stets gern betonte. Hanne würde sich bestimmt besser fühlen, wenn er bei ihr war, auch wenn sie jetzt dagegen protestierte. Denn ein drohender Stimmungseinbruch war wahrscheinlich, ja sogar sicher. Wahrscheinlich fiel die demonstrativ zur Schau gestellte Tapferkeit spätestens dann in sich zusammen, sobald Julies Chemotherapie vorüber und Hanne wieder auf die eigene Angst zurückgeworfen war.

Sie landeten sanft in Firenze, bei heißem, strahlendem Sommerwetter, und Sina war erleichtert, daß der kleine Alfa, den sie sich als Leihwagen ausgewählt hatte, kein Cabrio war und eine gut funktionierende Klimaanlage besaß. Sie kannte die kurvenreiche Strecke Richtung Rom sehr gut, war sie oft schon gefahren, in den unterschiedlichsten Gemütszuständen. Im Augenblick überwog heitere Vorfreude, in die sich allerdings immer wieder ernstere Gedanken mischten.

Und spürbare Reste ihres Ärgers von heute morgen.

Noch vor dem Abflug hatte sie einen Abstecher ins Polizeipräsidium unternommen, um den Hauptkommissar über Antonia Frischs Viagra-Erkenntnisse zu informieren. Persönlich, weil sie aus Erfahrung wußte, wie patzig und mundfaul Bierl am Telefon sein konnte.

Er empfing sie ungnädig, stocherte mit einem Streichholz in den Zähnen herum und schien reichlich desinteressiert. »Wissen wir doch längst«, sagte er, kaum daß sie geendet hatte. »Ist das alles, was Sie zu bieten haben?«

Sina verkniff sich eine entsprechende Antwort und begnügte sich damit, ihn ebenfalls unfreundlich anzustarren. Die hingebungsvoll gepflegte Kakteensammlung sei-

184

nes Vorgängers Fiedler hatte sich in trauriges, verdorrtes Gestänge verwandelt; nur aus einem einzigen Topf sproß wie zum Trotz eine stachelige, hellgelbe Blüte.

»Und aus eben diesem Grund dürfte die ganze Angelegenheit auch ein rasches Ende nehmen. Staatsanwalt Hartl hat die Leiche zur Bestattung freigegeben. Was auch gut sein wird. Denn wenn dieser unsägliche Sohn noch einmal unaufgefordert hier bei mir im Präsidium auftaucht, kann ich für nichts garantieren.«

»Heißt das, die Akte wird geschlossen?« Sina konnte es einfach nicht fassen.

»Das heißt, daß wir nun wissen, wie der Kammersänger verschieden ist. Natürlicher könnte ein Tod doch gar nicht sein: Spermaflecken und Scheidensekret auf dem Leintuch, jede Menge blonde Haare, die eindeutig nicht von seinem Kopf stammen, gebleicht übrigens, sowie eine gehörige Menge Viagra intus. Also eines ist sicher – Spaß dürfte er bei seinem Abgang gehabt haben.«

»Und was ist mit der verschwundenen Uhr? Hat er die Ihrer Meinung nach in der Ekstase verschluckt?«

»Vielleicht verloren? Verschenkt? Oder sie sich bei einer ganz anderen Gelegenheit klauen lassen? Alles denkbar. Schließlich war er ja nicht mehr der Jüngste. Möglich auch, daß jene ominöse Dame, die keiner kommen oder gehen sah, sie aus Verwirrung eingesteckt hat. Oder glauben Sie vielleicht, es gehört für sie zum Alltagsgeschäft, daß ihr ein Kavalier im vollen Galopp für immer aus dem Sattel steigt?«

Dieselbe Formulierung, die Antonia Frisch auch benutzt hatte. Allerdings hatte es bei ihr nicht so zynisch geklungen.

Sina überholte einen silbernen, aufgepeppten BMW mit Hamburger Kennzeichen, der die linke Fahrspur für seine ganz persönliche Parkbucht zu halten schien, und erwog kurz die Idee, die Autobahn mit der Landstraße zu vertauschen. Der Sonnenstand und bohrender Hunger jedoch brachten sie dazu, noch bis Monte San Savino durchzuhalten.

Es war früher Nachmittag, als sie den kleinen Ort erreichte. Er war von kühlen, dicken Mauern umgeben wie viele Ansiedlungen hier in der Gegend, deren Anfänge bis ins vierzehnte Jahrhundert oder sogar noch weiter zurück reichten. Sie trank in einer winzigen Bar Cappuccino und verschlang einen Mozzarella-Tomaten-Toast, beides im Stehen und hastig, weil sie es kaum noch erwarten konnte, endlich bei Laszlo zu sein.

Die Straße hinauf zum Castello erschien ihr wie eine Verheißung. Kurvig zwar, mit überraschenden Spitzkehren, die Konzentration und Übung erforderten, dafür jedoch zu dieser Tageszeit nahezu unbefahren und immer wieder von hohen Bäumen gesäumt, die Schatten spendeten.

Dann war sie endlich am Ziel. Stellte, wie Laszlos Fax sie angewiesen hatte, den Wagen am Parkplatz zu Füßen der efeuberankten Mauer ab und ging mit ihrer kleinen Reisetasche durch den Rundbogen des Eingangstors den schmalen, gepflasterten Weg hinauf.

Eine Stimmung, wie sie friedlicher nicht hätte sein können. Ringförmig schmiegten sich die Häuser aneinander. Was früher die Residenz einer hiesigen Grafenfamilie war, stellte heute ein Feriendomizil für nicht gerade unvermögende Individualisten dar, das der letzte Sproß der Sippe betrieb. Eine kleine, gestromte Katze kam maunzend näher und rieb sich zur Begrüßung freundlich an ihrer Wade, was sie sofort an ihren Schwarzen erinnerte, den diesmal Anke und Töchterchen Emma hüteten. Bougainvilleen wucherten in atemberaubenden Pink- und Orangetönen, hoch über ihr zog ein Raubvogel seine weiten Kreise. Schon Dante hatte einige Zeit hier gewohnt; eine steinerne Tafel über dem Torbogen bezeugte seinen Aufenthalt.

Schon nach den wenigen Minuten, die sie auf der kühlen Marmortreppe der kleinen, spitzgiebeligen Kapelle verbracht hatte, fühlte Sina sich erfrischter. Langsam ging sie zur Rezeption, die in einem der Steinhäuser untergebracht war.

»*Dovè habita il Signore Schreck?*« Ihr Italienisch klang eingerostet.

»*Signore Schreck?*« antwortete die junge, schwarzhaarige Frau und blätterte in einem edlen Anmeldungsbuch, bis sie das Gesuchte entdeckt hatte. »*Casa quattordici.* Haus vierzehn. Das letzte an der Mauer. Am großen Saal vorbei. Sie sind seine …«

»Genau«, sagte Sina schnell, bevor die Frau zu sehr ins Detail gehen konnte. »Er erwartet mich bereits. Könnte ich bitte den Zweitschlüssel haben?«

Spürbares Zögern.

»Hören Sie, wenn es Ihnen vielleicht Schwierigkeiten macht, können Sie ihn natürlich gern anrufen.« Sie konnte nur hoffen, daß es überzeugend genug klang. Denn sonst wäre ihre schöne Überraschung im letzten Augenblick verpatzt. »Ich bin ebenfalls Anwältin. Hier ist mein Paß.«

»*Bene, Signora. Eccola!*«

Mit dem Schlüssel in der Hand schlenderte sie weiter. Dabei kam sie am großen Tagungsraum vorbei, halb aus dem Felsen herausgehauen und deshalb auch bei hochsommerlichen Temperaturen angenehm kühl, den sie kurz entschlossen betrat. Gleich vorn stand ein Flip-chart, gespickt mit kleinen, sorgfältig beschriebenen Kärtchen. Auf den

Tischen benutzte Gläser, Tassen, halbgeleerte Mineralwasser- und Saftflaschen; überall lagen Papiere und Stifte, alles Beweise für eifrige Tagungstätigkeit, die offensichtlich nur kurzfristig unterbrochen worden war. Im Augenblick war alles verwaist; auch im Garten, von dem aus man eine herrliche Sicht auf die berühmten toskanischen Hügel hatte, fand sie nur leere Liegestühle.

Sie ging weiter durch diese perfekte Stadt im Miniaturformat. Überall verschlossene Rolläden, die die Hitze aussperrten. Selbst im Hochsommer würden die dicken Steinmauern für angenehme Innentemperaturen sorgen. Dazwischen immer wieder kleine Gartenstücke mit ein paar windschiefen Obstbäumen und wilder Wein, der sich teilweise bis zum Dachgebälk hochrankte. Der Windhauch, der vom nahegelegenen Waldstück kam, roch mild und würzig. Bis auf das anhaltende Zirpen der Grillen war es so still, daß Sina mehr als einmal das Gefühl hatte, in einer Traumkulisse zu wandeln.

Das Haus, in dem Laszlo wohnte, war klein, aber licht und offen. Unten die Küche und das Wohnzimmer, ein eher spärlich möblierter Raum mit offenem Kamin und ein paar hellen Korbmöbeln, dann führte eine steile Treppe in den ersten Stock. Oben hatte Laszlo sich den Tisch aus Pinienholz direkt vor das Fenster gerückt. Ein Laptop mit integriertem Drucker stand auf ihm. Daneben lagen einige Blätter mit seiner steilen, großen Handschrift.

Der Impuls war zu stark. Sie beugte sich darüber und las ein paar Zeilen:

»*Geburtsort Fiona? Nachprüfen.*
Ungereimtheiten in der Geschwisterfolge. 3. oder 4. Kind?
Hatte Mutter womöglich eine heimliche Abtr.?
Womit verdiente Urgroßvater A. den Familienunterhalt?

Reise nach Breslau? Gründe?
Umstände des Verrats.
Wer wußte davon? Brief von Leopold P. noch einmal überprüfen ...«

Überrascht schaute sie auf.

Offenbar setzte sich Laszlo intensiv mit dem Leben seiner ermordeten Großmutter Fiona auseinander. War es das, was er in Berlin angedeutet hatte? Ein Feature? Eine Erzählung? Eine Art Sachbuch? Sie hatte nicht die geringste Ahnung. Aber was immer er genau damit vorhatte, es beschäftigte ihn offenbar schon eine ganze Weile. Denn der ausgedruckte Papierstapel, den sie links oben im Regal entdeckte, wies eine beachtliche Dicke auf. Sie schaute nicht hinein, was ihr nicht einmal besonders schwerfiel. Sie würde ihn danach fragen, und dann konnte er ihr zu lesen geben, was er geschrieben hatte.

Sie zog die Leinenjeans und das verschwitzte T-Shirt aus und ging ins kleine Bad, um sich zu duschen. Ein penetranter Geruch ließ sie zurückzucken – Damenparfüm! Alarmiert unterzog sie den weißgekachelten Raum einer raschen Inspektion, fand aber nur Laszlos puristische Toilettensachen: Shampoo, Pinsel, Rasierschaum, Duschgel und Deo. Nichts weiter.

Was ihren Argwohn eher noch steigerte.

Stammte diese durchdringende Duftmarke von Jutta Pachmann, die hier die Nacht verbracht hatte? Und wo steckte Laszlo? Ob die beiden sich in der Mittagspause gemeinsam abgesetzt hatten, um ungestört weiterzuturteln? Nach Siena vielleicht? Oder doch lieber nach Arezzo, weil man da so herrlichen alten Plunder kaufen konnte?

Dann hätte sie sich diese aufwendige Reise nach Gargonza wirklich sparen können! Sogar ihre Schritte klangen wütend. Jetzt krampfte sich ihr Solarplexus zusammen zu jenem eigentümlich nagenden Gefühl, das wie kein anderes so wütend und so hilflos zugleich macht. Niemals konnte sie sich selber so wenig leiden wie bei aktuellen Eifersuchtsschüben.

Sina hielt schon die Zigarettenschachtel in der Hand, die als Notnagel noch immer in ihrer Handtasche steckte, aber sie widerstand im letzten Augenblick der Versuchung. Statt dessen wickelte sie sich in eines der großen Badetücher und streckte sich mit grimmigem Lächeln auf dem breiten Doppelbett aus.

◆

»Sina?« Schläfrig rappelte sie sich auf. Das Licht war weich und mild. Es mußte bereits später Nachmittag ein. »Was machst du denn hier?«

»Komme ich ungelegen?« Sie blinzelte. Aber hinter ihm war niemand zu sehen. »Wo warst du die ganze Zeit? Und wo steckt Jutta?«

»Natürlich kommst du nicht ungelegen – ich freue mich. Und wie ich mich freue! War mit ein paar Kollegen beim Baden. Nicht weit von hier ist ein versteckter Weiher, mitten im Wald. Massen von Mücken, aber sehr idyllisch. Dort müssen wir beide unbedingt morgen hin ...« Er hielt inne. »Aber wie kommst du auf Jutta? Sie ist im Garten, nehme ich mal an. Da war sie nämlich eben noch. Ich verstehe nicht ganz. Was soll die denn hier?«

»Dich weiter vollstinken. Dein Bad riecht nämlich wie ein Puff. Jedenfalls stelle ich es mir dort so vor.«

Es war heraus, bevor sie noch lange überlegen konnte.

Laszlo begann loszulachen. »Weißt du, was das im Bad ist?« Er konnte sich kaum beruhigen. »Dein Mitbringsel. Beziehungsweise das, was davon übriggeblieben ist. Ich hab dir im Flieger einen Riesenflakon Roma gekauft. Und der ist mir heute morgen nach dem Duschen leider aus der Hand geglitscht.« Er begann ihren Hals zu küssen. »Ich wollte nur mal dran riechen, nachdem du schon nicht da warst.«

»Das hast du jetzt davon, du Schnupperjunkie!« murmelte sie und knabberte dabei an seinem Ohrläppchen. »Ich nehme schon seit Jahren kein Roma mehr.«

Er atmete heftiger.

»Zu süß und zu schwer. Jedenfalls für mich.«

»Und diese anregende Aufmachung!« Er hatte sie bereits ausgewickelt und beschäftigte sich eingehend mit ihren Brüsten und ihrem Bauch. »Wie lange kannst du bleiben?«

»Zwei Tage. Mittwoch muß ich in München zurück sein.«

»Und dafür den weiten Weg! Nur für mich? Fühle mich geehrt und geschmeichelt.« Seine Hände waren zärtlich und erfahren. »Dann ist es ja nicht weiter tragisch.«

Sina begann leise zu stöhnen und zog ihn noch näher zu sich heran. Wie Wochen kam es ihr vor, seit sie ihn zum letztenmal gespürt hatte – mindestens.

»Was soll nicht tragisch sein, mein Liebster?«

»Daß es im Bad so fürchterlich stinkt. Zwei Tage werden wir es ja wohl ohne Dusche aushalten, wenn wir uns anstrengen, meinst du nicht?«

Sie lachten beide.

Danach wurden sie still, und ihre Lippen fanden sich.

✦

Laszlo und Sina ließen die anderen zum Abendessen nach Sinalunga fahren, wo Insalata di campo, Pasta mit Hasenragout, Wildschwein am Spieß und andere Köstlichkeiten der Region aufgetischt werden sollten, während sie sich mit den Nußspaghettis der dörflichen Trattoria zufriedengaben. Sie waren die einzigen Gäste, saßen bei Kerzenschein und Chianti draußen, während die Hügel ringsumher immer dunkler wurden und das Grün der Zypressen unaufhaltsam zu tiefem Schwarz wechselte.

»›Liebende ziehen die Nacht vor‹«, sagte Laszlo und nahm ihre Hand. Er war leicht gebräunt und hätte mit seinem dunklen, kurzgeschnittenen Haar und den wachen, grünen Augen ohne weiteres als Einheimischer durchgehen können. »Schön, findest du nicht?«

Sie nickte.

»Das hat Fiona ihrem Walther geschrieben, als sie sich verlobt hatten. Denn zunächst war die Familie geschlossen dagegen. Ein Goi, ein Deutscher, und dann auch noch ein Künstler gleich dazu! Sie mußte kämpfen, bis sie sich schließlich durchsetzen konnte. Ich wollte dich längst schon in meine Geschichte einweihen. Aber irgendwie hab ich nie den rechten Dreh gefunden. Zwischendrin befürchtet man doch immer wieder, daß nichts daraus wird.«

»Und jetzt wird etwas daraus?«

»Könnte sein. Ich hab neulich einen Bekannten reinlesen lassen, der Lektor ist und sich einigermaßen auskennt. Und dem hat es gefallen. Sehr sogar, hat er wenigstens behauptet. Natürlich ist noch eine Menge dran zu machen. Da geb ich mich keinen Illusionen hin. Ist ja schließlich mein erster Wurf.«

»Diese Arbeit liegt dir sehr am Herzen, stimmt's?«

»Ja, das tut sie. Egal, was daraus wird. Nein, eigentlich ganz und gar nicht egal«, korrigierte er sich. »Es ist so komisch, Sina, aber jetzt weiß ich auf einmal, wie sehr mich unser Anwaltsalltag anödet und nervt. Und das schon eine ganze Weile.« Jetzt klang er ernst, beinahe drohend. »Ich glaub nicht, daß ich das ein Leben lang machen will. Das wollte ich dir auch schon längst einmal sagen.«

»Wieso ›auch‹?« Sie versuchte, die Leichtigkeit von vorhin

192

wieder einzufangen. »Vielleicht wirst du ja in Kürze ein berühmter Schriftsteller, und ich mache deine Agentin. Dann kaufen wir uns hier irgendwo eine Villa mit Zypressenauffahrt und leben wie die Götter in Italien.«

Voller Liebe sah er sie an. »Ich war ein Idiot, Sina, dich so unter Druck zu setzen. Dabei weiß ich doch, wie giftig du werden kannst, wenn du dich an die Wand gedrängt fühlst.«

»Und die Wohnung in Charlottenburg?« Es kam darauf an, was er jetzt sagte.

»Schön, ja, und günstig dazu, aber es gibt noch andere attraktive Wohnungen, die wir uns leisten können. Außerdem ist sie inzwischen längst weg.« Er ließ ihren Einwand nicht zu. »Ja, ja, ich gebe zu, daß ich mich mächtig reingehängt habe. Und mir schon allein deshalb deine Sturheit so schwer zu schaffen gemacht hat. Der Prinz, dessen Schloß verschmäht wird – und sein Königreich gleich mit dazu. Gekränkte männliche Eitelkeit und der ganze Käse, du weißt schon.« Laszlo lächelte. »Aber ich bin froh, daß du trotzdem gekommen bist.«

»Und ich erst!«

Sie lächelte ebenfalls. Die ungeweinten Tränen in ihren Augen jedoch fühlten sich wie winzige Glassplitter an. Sie hatte ihm von Hanne erzählt und von Julie, die neben ihr litt. Und was Bill Bergis gesagt hatte, als sie ihn in New York mitten in der Nacht mit ihrem Anruf aufgeweckt hatte.

»War er eigentlich überrascht, daß *du* angerufen hast?«

»Kein bißchen. Aber sehr betroffen. Weil sie ihm nicht ein Wort gesagt hat.«

»Das wäre ich allerdings auch an seiner Stelle. Will er trotzdem kommen?«

Sina nickte. »In drei, vier Tagen ist er da. War ganz selbstverständlich für ihn. Und er hat sogar versprochen, das

Spiel solange weiter mitzumachen, damit Hanne keinen Verdacht schöpft und die innere Zugbrücke nicht schon vorab hochziehen kann. Sie braucht ihn, Laszlo. Besonders jetzt. Und er sie. Ich glaube, die beiden merken erst jetzt, wie sehr.«

»Ich brauche dich auch, Sina.«

»Ich weiß«, flüsterte sie und konnte auf einmal nicht mehr weitersprechen. Der Damm in ihr war gebrochen; alles, was sie in sich verschlossen hatte, brach heraus. Sie fing an zu weinen, so heftig, daß es sie selber erschreckte.

»Entschuldige bitte«, brachte sie irgendwann mit großer Anstrengung heraus, »aber ich weiß auch nicht, was los ist. Ich kann einfach nicht anders. Ich fürchte, ich bin mit dem Weinen noch lange nicht fertig.«

»Du bist so schön, daß du leuchtest«, sagte er zärtlich. »Weißt du das?«

Siebzehn

Diesmal war die große Aussegnungshalle schwarz von Menschen. Der Andrang war so immens, daß viele keinen Platz mehr fanden und abgewiesen werden mußten. Sie ließen sich jedoch nicht ganz vertreiben, sondern drückten sich mit ihren Regenmänteln und nassen Schirmen so nah wie möglich am Eingang herum, in der Hoffnung, doch noch etwas von der Trauerfeier mitzubekommen. In den letzten Tagen hatte das mysteriöse Ableben von Fürst Ottl reichlich für Schlagzeilen gesorgt; auf einmal entsann man sich wieder seines überragenden Talents, der rauschenden Bühnenerfolge sowie der anschließenden Fernsehkarriere, die sein schwerer Herzinfarkt vor ein paar Jahren so abrupt beendet hatte. Zahlreiche Nachrufe erschienen, sein Leben wurde episodenhaft vor dem offenbar plötzlich wieder äußerst interessierten Publikum ausgebreitet. Dementsprechend hatten die lokalen Tageszeitungen Reporter entsandt, Fotografen diverser Postillen drängten sich, und das Regionalfernsehen war mit gleich zwei Teams anwesend.

Außerdem zeigte sich einiges an Prominenz: Sänger, Schauspieler, Dirigenten, Intendanten, Schriftsteller und Maler. Im letzten Moment traf auch der Oberbürgermeister ein, flankiert von zwei dunkelgekleideten Stadträten mit ernsten Mienen.

Das Oskar-Maria-Graf-Domizil war diesmal reichlich vertreten: Maria Schnell und gleich ein gutes Dutzend ihrer Schutzbefohlenen, darunter Eugen Tobias Krumm und

Walter Klier, dieser ausnahmsweise einmal nicht im Glitzerfummel, sondern für seine Verhältnisse ganz dezent im nachtblauen Smoking, sowie Gundis Wagner, die ihren mächtigen Körper in einem Kleid aus schwarzem Pannésamt präsentierte, gekrönt von einem Strohhut, groß wie ein Wagenrad, und dafür sorgte, daß mehr als einer der männlichen Trauergäste nicht mehr wußte, wohin er sehen sollte. Henny Waldheim fehlte, obwohl Sina nicht wirklich mit ihrem Erscheinen gerechnet hatte.

»Sie wollte partout nicht mitkommen«, flüsterte Wally ihr zu, als er nach seinem Eugen graziös dem Taxi entstieg. »Obwohl die Schnell ihr ordentlich zugesetzt hat. Aber da hätten Sie sie mal hören sollen, von wegen Gruppenzwang und ähnlichem! Das Treppenhaus hat förmlich vibriert, so ausfallend ist sie geworden. Die hat vielleicht Pep, die Dame, das kann ich Ihnen verraten! Und eine Ausdrucksweise, um die sie jedes Gossenkind beneiden würde.«

Bevor sie noch etwas antworten konnte, hatte sie bereits Leander Fürst mit Beschlag belegt, bleich und kurzgeschoren wie ein Sträfling.

»Ich hab ihn mir noch einmal zeigen lassen, nachdem ihn die Pathologen bearbeitet hatten«, sagte er und drängte sich unangenehm nah an sie. »Ganz ordentlich zugenäht haben sie den Alten, alle Achtung! Seine Haut hatte allerdings nach der langen Kühlung eine Farbe wie verblichener Senf. Und er war auf einmal so klein. So schrumpelig.«

Er schniefte, wohl weniger aus Rührung, sondern eher wegen seines unappetitlichen Dauerschnupfens. »Schon irgendwie komisch! Plötzlich wußte ich nicht mehr, warum ich mich mein ganzes Leben vor ihm gefürchtet habe. Würde mich nicht wundern, wenn ich ihn bald ganz vergessen könnte.«

Vergebens lauerte er auf eine Reaktion. Sein ungelöstes Vater-Sohn-Dilemma löste bei Sina inzwischen allenfalls Ekel aus.

»Als potentieller Täter bin ich übrigens ganz aus dem Spiel«, versuchte er einen neuen Ansatz. »Die Ermittlungen sollen sogar eingestellt werden, wußten Sie das?«

»Das ist noch lange nicht raus.« Sina ging schneller weiter. Ohne großen Erfolg strengte er sich an mitzuhalten. Eines seiner Hosenbeine war hochgerutscht, entblößte eine magere, spärlich behaarte Wade, und er roch schon wieder nach Schnaps.

»Sie glauben wohl nicht an einen natürlichen Tod?« sagte er hinter ihr. »Dabei ist er vielleicht gestorben, als er am glücklichsten war. In den Armen einer Frau. Das ist doch schon mal mehr, als die meisten Männer für sich in Anspruch nehmen können. Viel mehr sogar.«

»Nein«, sagte sie halblaut, ohne sich die Mühe zu machen, sich nach ihm umzudrehen. »Ich glaube nicht daran.«

Sie ersparte sich die Ansprache des Oberbürgermeisters, der bekanntlich bei solchen Anlässen begeistert und langatmig redete, und ging mit schnellen Schritten den Kiesweg entlang, der zum Fürstschen Familiengrab führte. Nach den sonnengetränkten Tagen in Italien empfand sie den Regen und die plötzliche Kühle dem Anlaß durchaus angemessen. Der Himmel weint, dachte sie, weil ein großer Sänger zu betrauern ist.

Es gab nur ein schlichtes, helles Holzkreuz: *Charlotte Fürst, geboren 1920, gestorben 1998.*

Binnen kurzem würde eine zweite Zeile hinzukommen. Äußerst fraglich, ob Leander Fürst jemals einen anderen, kostspieligeren Grabstein aufstellen lassen wird. Zumal nach den Enthüllungen, die am Nachmittag im Nachlaßgericht seiner harrten.

Aber das war nicht, wonach Sina suchte.

Denn plötzlich war ihr wieder jene Dame im cremefarbenen Kostüm am Grab in der Nachbarschaft eingefallen. Inzwischen war sie sich ganz sicher. Ottfried Fürst *hatte* damals heimliche Zeichen mit ihr ausgetauscht. Diesmal war sie nicht erschienen. Aber könnte sie nicht gerade deshalb die Frau sein, die bei seinem Todeskampf anwesend gewesen war?

Und vielleicht mehr als das?

Eine verrückte Idee, gewiß, und ohne jeden Beweis dazu. Und dennoch kam sie immer wieder darauf zurück. Es war Carlo, der den Anstoß dazu gegeben hatte. Ihre Abwesenheit in Italien hatte er dazu verwendet, um noch einmal ausführlich über die Postkarte mit dem Bild der Lucrezia Borgia nachzugrübeln, und er war zu bemerkenswerten Rückschlüssen gelangt.

»Eigentlich sehe ich nur zwei Möglichkeiten: Entweder ist dieses ›Steinchen‹, mit dem sie unterzeichnet hat, eine Anspielung. Wenn ja, dann müßten wir herausbekommen, worauf. Nicht ganz einfach, Sina, wenn ich das mal so sagen darf.«

»Und wenn nicht?«

»Dann könnte es in der Tat sehr viel lapidarer sein – und die Dame heißt womöglich mit Nachnamen Stein. ›Steinchen‹ wäre dann eine Koseform. Wortspiel unter Turteltäubchen. Irgend etwas in dieser Richtung jedenfalls.«

»Auch das noch! Und dann dieser Allerweltsname. Hast du eine Ahnung, Carlo, wie viele Steins hier in München leben?«

»Im Telefonbuch sind exakt dreihunderteinunddreißig aufgeführt. Du siehst, meine Schöne, während du geflittert hast, bin ich alles andere als untätig gewesen. Davon einhundertsieben mit weiblichen Vornamen. Man müßte sie nur ganz systematisch durchgehen, eine nach der anderen,

um irgendwann möglicherweise auf die Gesuchte zu sto-
ßen.«

»Wenn ich das Staatsanwalt Hugo Hartl vorschlage, erklärt
er mich für verrückt.«

Carlo verzog keine Miene. »Ist es nicht seine Pflicht als Organ der Rechtspflege, einen Mord aufzudecken?«

»Ist es.«

»Auch und erst recht dann, wenn es mühsam und kompliziert ist?«

Sina nickte.

»Nun, vielleicht erinnerst du ihn bei passender Gelegenheit mal daran.«

Aber als sie nun nähertrat, um die Inschrift zu studieren,
folgte die Enttäuschung: *Leo Bärmoser, geboren 1921, gestorben
1997.*

Keine Spur von Stein.

»Mist«, sagte sie halblaut, um sich Luft zu machen, »Mist.
Bockmist!«

Trotz allem notierte sie die dürftigen Angaben, die so gar
nicht in ihr Konzept passen wollten. Und sie beeilte sich,
um wenigstens den letzten Teil der Trauerfeier für Ottfried
Fürst nicht zu versäumen.

✦

Nachlaßrichter Elmar Hagedorn schwitzte, während er
Ottfried Fürsts Testament verlas. Draußen hatte es zu reg-
nen aufgehört, und es war drückend schwül in dem kleinen Amtszimmer. Außer Hagedorn befanden sich noch
Sina sowie ein mürrischer, verklebter Leander im Raum,
der sich mit der amerikanischen Ausgabe des »Playboy«
Luft zufächelte, dazu zur Verwunderung Leanders und
Sinas Maria Schnell, die hastig ein- und ausatmete, als sei
sie kurz vor dem Ersticken.

»... beschließe ich aus Gründen, die hier aufzuführen unerheblich sind, meinen Sohn Leander Felix Matthias Fürst, geboren am 6. 12. 1956 in München, zu enterben ...«

»Ha«, unterbrach der Genannte höhnisch die Verlesung, »das kann er ja gar nicht. Pech gehabt, Alter!«

»Das kann er wohl, Herr Fürst.« Richter Hagedorn machte kein Hehl daraus, wie sehr er peinliche Auftritte verabscheute. Es war ihm ohnehin deutlich anzumerken, wie wenig er von dieser übereilten Testamentseröffnung hielt, die unter anderem wohl durch den Druck des öffentlichen Interesses an dem Fall zustande gekommen war. »Allerdings steht Ihnen natürlich der gesetzliche Pflichtteil zu.«

»Muß ich mir anhören, was dieser Gorilla da von sich gibt?« murmelte Leander Fürst. Er war aufgesprungen, rieb erregt die Handflächen aneinander.

»Wenn Sie noch ein bißchen lauter werden, erledigt sich die ganze Testamentseröffnung ohnehin binnen weniger Minuten.« Sina sah direkt an ihm vorbei. »Ihre Grobheiten muß sich kein Richter bieten lassen. Also nehmen Sie sich gefälligst zusammen!«

»Wenn ich nun endlich weiterfahren dürfte«, sagte Richter Hagedorn dünnlippig, »und Sie freundlicherweise noch einmal kurz Platz nehmen würden?«

Zu Sinas Überraschung gehorchte Leander. Maria Schnell zupfte nervös an ihrem frischblondierten Zementpony.

»Mein gesamtes Vermögen geht an das Oskar-Maria-Graf-Domizil, mit der Auflage, es für den Ausbau des geplanten Konzertsaales zu verwenden ...«

»Er muß den Verstand verloren haben!« flüsterte Leander Fürst. »Und zwar komplett. Ein Konzertsaal für das vertrottelte, alte Pack, von dem der Großteil schon halbtaub ist – wenn es nicht so traurig wäre, schier totlachen könnte man sich.«

200

»Für unseren Konzertsaal!« sagte Maria Schnell bewegt. »Wie feinfühlig und großzügig! Ja, das paßt zu ihm. Genauso war er, unser lieber, verehrter Kammersänger!«

Richter Hagedorns Blick war eisig geworden.

»Ausgenommen davon sind alle Tantiemen aus all meinen Auftritten als Ochs von Lerchenau«, fuhr er mit erhobener Stimme fort, »seien es nun Analogplatten, CDs, Rundfunkaufnahmen oder Wiederholungen von Fernsehaufzeichnungen. Diese Einnahmen gehen jetzt und künftig an Frau Henny Waldheim, wohnhaft im Oskar-Maria-Graf-Domizil in München. Der Genannten soll außerdem folgender Liedtext übermittelt werden.« Er hob ein handgeschriebenes Blatt Papier in die Höhe. »Frau Waldheim ist heute aus gesundheitlichen Gründen am Erscheinen verhindert. Ich werde diese Zeilen auf ausdrücklichen Wunsch des werten Verstorbenen trotzdem verlesen:

›*Wie die Stund' hingeht, wie der Wind verweht,*
So sind wir bald beide dahin.
Menschen sin' ma halt,
Richtn's nicht mit G'walt.
Weint uns niemand nach,
Net dir, und net mir.‹«

»Kann mir jemand mal verraten, was hier für ein Scheißspiel abgeht?« Jetzt schien Leander Fürst zum erstenmal wirklich ratlos. »Wer zur Hölle ist nun wieder Henny Waldheim?«

◆

Atze, der Stadtindianer, lächelte verlegen, als Sina im Sturmschritt die Kanzlei betrat, und er versteckte seine Zigarette spielerisch hinter dem Rücken.

»Ick weeß, ick sollte seit spätestens heute morjen um achte verschwunden sein, aber dieser Flur hier bringt mich noch um den Verstand – allet krumm und scheps, nicht eene einzige jerade Wand. Det ist keen Leistenkloppen hier, det is eher eine Art Feinchirurgie.«

»Dabei hat er geschuftet wie ein Verrückter«, bekräftigte Anke treuherzig, der deutlich anzumerken war, wie sehr ihr Atze gefiel. Gut, daß Niko sie nicht so sehen konnte. Ein erneuter Eifersuchtsanfall und drei Tage Streß wären das mindeste gewesen. »Ehrlich!«

»Stimmt! Und ab und zu ein Päuschen braucht der Mensch ja schließlich auch«, fiel Tilly Malorny mütterlich ein, die dem Charme des Stadtindianers offenbar ebenfalls erlegen war, genauso wie Marina, die so unauffällig wie möglich den Kaffee in die Küche zurücktrug, den sie gerade für ihn gekocht hatte. »Wie hilfsbereit er außerdem ist! Stellen Sie sich vor, Frau Teufel, vorhin war er sogar mit Jacky eine halbe Stunde lang Gassi!«

»Na prima«, sagte Sina und klemmte sich den Poststapel unter den Arm, »da kann er ja nächste Woche gleich bei uns anfangen.«

Atze hatte sich geschmeidig erhoben.

»Ick kann es nun mal partout nicht leiden, wenn man sich lustig über mich macht«, sagte er. »Egal, wer. Det gilt auch für Anwälte. Sogar speziell!«

»Tut mir leid.« Jetzt war ihr dummerweise der halbe Briefstapel runtergerutscht. Ganz Kavalier, bückte er sich und hob ihn Blatt für Blatt für sie auf. »Danke! War wirklich nicht gegen Sie gerichtet. Eher ganz allgemein gemeint, zum Luftablassen. Und das Parkett haben Sie wirklich toll hinbekommen. Alle Achtung! Machen Sie ruhig in Ruhe fertig! Bloß kein Streß, ja? Das bißchen Hämmern halten wir auch noch aus.«

Sie seufzte erleichtert, als sie allein in ihrem Büro saß. Sah durch, was als nächstes dringend erledigt werden mußte, und diktierte konzentriert eine gute Stunde lang. Danach rief sie Carlo van Rees an und erzählte ihm, daß Bill binnen kurzem in München zu erwarten sei.

»Prima! Das wird ihr guttun.«

»Wie geht es Hanne denn? Wirklich, meine ich? Heute früh am Telefon war sie irgendwie komisch.«

»Wenn du mich fragst: ähnlich wie Goofy über der Schlucht«, sagte er spontan. »Kurz bevor er merkt, daß er doch nicht fliegen kann. Ich will gleich zu ihr. Soll ich ihr etwas ausrichten?«

»Daß sie mir fehlt. Daß sie bloß schnell gesund werden soll. Daß ich sie morgen wieder besuchen komme. Und dann, mein lieber, lieber Carlo ...«

»Immer wenn du so anfängst, weiß ich, daß du etwas Kompliziertes von mir willst. Also, was ist es diesmal?«

Sie erzählte ihm in Kürze von dem benachbarten Grab.

»Kannst du nicht rausbekommen, wer dieser Leo Bärmoser war und wo er gewohnt hat?«

»Ach ja, und am besten auch noch, was seine Lieblingsspeise war, den Kontostand, ob er noch Haare am Kopf hatte und wie viele, oder? Sonst noch was? Immer zu Ihren Diensten, Gnädigste!« Er lachte. In Wirklichkeit liebt er Aufträge dieser Art. »Ich tue mein Bestes, meine Schöne. Allerdings erst, wenn wir Luigi dingfest gemacht haben.«

»Luigi?«

»Mensch, Sina, schon vergessen? Heute nacht schlägt doch die Stunde der Wahrheit in meinem Lieblingslokal. Glaubst du vielleicht, das laß ich mir entgehen?«

✦

Sie erschrak, als Henny Waldheim die Türe öffnete. Die alte Frau wirkte verschlafen, fast wie in Trance. Ihr Gesicht war bleich und eingefallen, die Augen trüb.

»Geht es Ihnen nicht gut, Frau Waldheim? Soll ich lieber ein anderes Mal wiederkommen?«

»Nein, nein, es ist gut, daß Sie da sind. Ich habe schon auf Sie gewartet.« Sie stützte sich schwer auf den Stock und schlurfte langsam voran. Sie hatte ihr dünnes Haar straff nach hinten gekämmt. Ihr Nacken erschien Sina schutzlos und zerbrechlich. »Haben Sie fleißig geübt?«

»Nicht sehr viel«, sagte Sina wahrheitsgemäß. »Ich war ein paar Tage in Italien.«

»Wenn Sie nicht üben, wie wollen Sie dann weiterkommen? Die Stimme ist ein anspruchsvolles Instrument. Wenn Sie es brachliegen lassen, wird es Sie wieder enttäuschen. Ich wollte mir heute die langen Vokale mit Ihnen vornehmen. Aber so hat das wohl wenig Sinn.«

Sie hatte ächzend am Tisch Platz genommen. Vor ihr lagen mehrere Schächtelchen, ein paar Schmuckstücke, Schals, ein bunter Fächer. Und ein dickes, gebundenes Heft mit verblichenem, blauem Wachstuchumschlag.

»Ich weiß«, sagte Sina und setzte sich ebenfalls. »Und es tut mir leid. Ich werde mich bessern. Versprochen.«

»Versprechen Sie lieber nicht, was Sie doch nicht halten können!« sagte die alte Frau matt. »All diese gebrochenen Versprechen. Sie ermüden mich. Und sie verpesten die Welt. Wußten Sie das?«

»Wieso vermacht Ihnen Ottfried Fürst seine Tantiemen?« fragte Sina direkt. »Ich denke, Sie hassen ihn. Hat er das nicht gewußt?«

»Ach, das ist es! Sind Sie deshalb gekommen? Dann hätten Sie sich den Weg sparen können. Ich will sein Blutgeld nicht. Hab ich der Schnell auch schon gesagt. Da nützt

204

auch das schönste Libretto nichts.« Sie begann mit dünner Stimme zu singen. »Menschen sin' ma halt / Richtn's nicht mit G'walt ...« Ein Hustenanfall zwang sie zum Abbrechen. »So leicht kriegt er mich nicht. Nein, keine Judasmünzen! Nicht von ihm. Nicht mit mir. Und erst recht keine Absolution. Soll er doch für immer in der Hölle schmoren!«

»Sein Blutgeld? Was soll das heißen, Frau Waldheim? Womit kriegt er Sie nicht?«

Sie schien Sina gar nicht zu hören. »Glauben Sie, ich hab mich darum gekümmert, was die Leute sagen? Glauben Sie, ich hätte mir von irgend jemandem Vorschriften machen lassen, wie ich leben soll? Ich wollte doch nur glücklich sein. Ja, einfach und allein glücklich sein. Wem hätten wir damit schon geschadet? Wem?«

»Frau Waldheim? Haben Sie jemanden gesehen? Eine Frau vielleicht? Wissen Sie irgend etwas über Ottfried Fürsts Tod, das Sie mir vielleicht sagen wollen? Ist es das, was Sie bedrückt? Sie können mir vertrauen, das verspreche ich Ihnen. Manchmal hilft es schon, wenn man einfach jemanden zum Zuhören hat.«

»Aber unsere Seele will nicht, daß wir zu gut von unserem Leben denken. Immerzu rechnet sie uns vor, was wir verbrochen, was wir versäumt haben ...«

Plötzlich schaute sie auf. Der Blick wurde klarer.

»Suchen Sie sich etwas aus!« forderte sie Sina auf. »Ein Mensch, dessen Ende näher rückt, sollte sich von allem Überflüssigen trennen. Und ich bin jetzt beinahe so weit. Bitte, nehmen Sie! Alles, was Sie wollen. Nur Mut!«

»Ich weiß nicht ...«

»Aber ich. Es wird höchste Zeit für mich, die Dinge zu ordnen, verstehen Sie? Denn wenn die Dinge erst einmal richtig geordnet sind, kann einen auch die Vergangenheit nicht mehr so quälen. Dann wird es endlich still da drinnen, wo sonst die Gedanken springen. Ganz still.«

Sina, noch immer zögernd, streckte die Hand nach dem Heft aus.

»Nein!« Ein einziger erstickter Schrei. »Nicht das! Alles, nur nicht das!«

Achtzehn

Eine Chance gab ich ihm noch. Trotz allem. Denn natürlich liebte ich ihn noch immer, trotz der peinvollen Bilder auf meiner Netzhaut. Aber eigentlich verspielte Jean sie bereits mit dem kühlen, fast schon abschätzigen Blick, den er mir zuwarf, kaum daß er in mein Zimmer gekommen war. Es war ein Risiko, ihn hierher kommen zu lassen. Ich wußte es, ging es aber bewußt ein. Natürlich hätten wir wesentlich freier und unbefangener in unserer Liebeshütte sprechen können, wo wir immer so glücklich miteinander gewesen waren. Sie jedoch nach dem Verrat des vergangenen Abends noch einmal zu betreten, erschien mir schier unmöglich.

»Was willst du?« sagte er ungehalten und zündete sich eine Zigarette an. »Und bitte mach schnell! Ich hab es eilig.«

So weit war es gekommen! Ich war nicht nur ein billiger Ersatz, sondern begann ihm schon zur Last zu fallen.

»Ich hab dich gestern vermißt«, begann ich und versuchte vergebens, meine zitternden Hände zu verstecken. »Du hast meinen Tanz versäumt.«

»Ach ja, schade! Eigentlich wollte ich unbedingt dabeisein. Aber ich konnte leider nicht, Rita. Ich war verhindert. Geschäftlich. Ganz plötzlich.«

Seine Lüge kam schnell und glatt. Fuhr durch mein Herz wie ein gutgeschärftes Messer.

»Ich weiß. Ich war danach noch beim Bootshaus.« Ich atmete tief aus. »Ich hab euch beide gesehen. Bei eurem Tanz.«

»Was hast du gesehen?«

Er wagte es, diese Frage zu stellen!

»Das weißt du ganz genau«, erwiderte ich scharf. »Das Loch in der Wand war groß genug. Und hör auf, mir etwas vorzumachen. Jetzt, wo alles endlich ans Licht gekommen ist. Was hast du dir eigentlich dabei gedacht, du Ungeheuer?«

Kein Wort hatte ich seit gestern mehr mit meinem zweiten Ich gesprochen. Schrecklich, aber wahr: Jean hatte das fertiggebracht, was noch niemandem in sechzehn Jahren gelungen war: Riri und mich zu entzweien. Und dafür haßte ich ihn, obwohl ich ihn gleichzeitig noch immer wie wahnsinnig begehrte und liebte.

»Hast du dir etwas Spezielles dabei überlegt?« fuhr ich heftiger fort. »Willst du uns vielleicht beide umbringen? Ist es das, was du vorhast?«

Eine lange, schlaflose Nacht hindurch hatte ich mir fest vorgenommen, nicht zu weinen, aber natürlich weinte ich doch. Trauer hatte sich tief in mir eingenistet, verbunden mit der Erkenntnis um die Vergänglichkeit aller Dinge, die mich hinterrücks überfallen hatte. Auf einmal wußte ich, daß ich sterblich war. Daß alles sich immer verändern würde. Und nichts so bleiben, wie es einmal gewesen war. Ich hatte meine Unschuld für immer verloren – in mehr als einer Beziehung. Tränen rannen über meine Wangen, und ich machte mir nicht die Mühe, sie wegzuwischen.

Wieso kam kein Wort von ihm, keine versöhnliche Geste?

Plötzlich wutentbrannt, warf ich mich auf ihn, schlug mit den Fäusten auf seinen Kopf, gegen seine Brust. Er wehrte sich nicht, auch nicht, als ich damit begann, wie eine erzürnte Furie sein Gesicht zu zerkratzen. Wie ein Büßer stand er vor mir, hatte jeden Widerstand, alles Leugnen aufgegeben.

»Es tut mir leid, Rita«, murmelte er tonlos. »Es tut mir ja so leid! Ich wollte es nicht, das mußt du mir glauben! Die ganze Zeit habe ich mich dagegen gewehrt. Aber irgendwann war es dann zu spät.«

Er hob den Kopf, sah mich an. Seine blauen, sprechenden Augen bettelten um Verständnis. Meine scharfen Nägel hatten blutige Spuren auf seiner Haut hinterlassen. Jetzt hatte ich ihn gezeichnet. Aber was war das schon gegen die Spuren, die er in mir hinterlassen hatte?

»Außerdem hab ich dich gewarnt. Mehr als einmal. Aber du wolltest partout nicht hören. Und jetzt habe ich dir weh getan.«

»Ja«, erwiderte ich mechanisch, »du hast mir weh getan.«

Meine Wut war verflogen, so schnell, wie sie gekommen war. Welch bläßliche, ganz und gar unzureichende Worte für den stechenden Schmerz, der in mir wütete! Und für die Angst, die auf einmal in meiner Seele aufstieg, groß und dunkel, als hätte ein schwarzer Drache seine Flügel über einem sonnigen Tal ausgebreitet.

»Das Allerletzte, was ich wollte. Das mußt du mir glauben, mein Mädchen!«

Mein Mädchen – er nannte mich noch immer so!

Ein winziger, irrsinniger Hoffnungsfunke durchfuhr mich, als er diese Worte aussprach, und ich erwachte aus meiner Erstarrung. Vielleicht war ja doch noch nicht alles verloren. Vielleicht, wenn ich mich großzügig und erwachsen zeigte, wenn ich verzieh und versuchte zu vergessen, was seit gestern abend mein Innerstes marterte, vielleicht konnte doch noch alles gut werden.

»Hör zu, Jean!« sagte ich atemlos. »Ich weiß, was wir tun müssen. Fortgehen. Und zwar sofort. Irgendwohin, nach Berlin, nach Paris, nach Italien, egal, wohin. Dort fangen wir ein neues Leben an. Dort können wir endlich ungestört zusammensein – du und ich. Liebeslang!«

Ich liebte das Wort, kaum, daß es mir in den Sinn gekommen war. Ich hatte es noch nie zuvor benutzt, aber es erschien mir so treffend, so einzigartig wie alles, was mich mit ihm verband.

»Liebeslang?« Er sprach das Wort gedehnt aus, fragend, ja unbeholfen, als stamme es aus einer fremden Sprache, die er nicht verstand.

»Ja, ja, liebeslang, für immer und ewig!« wiederholte ich ungeduldig. »Worauf wartest du noch? Papa und Maman sind heute bei den von Menzingen eingeladen und werden sicherlich spät zurückkommen. Die Jungs« – ich konnte seinen Namen einfach nicht in den Mund nehmen – »werden mit Sicherheit auch dabei ein. Sogar Bobo hat frei und will in die Stadt. Und ich kann doch sagen, daß mir nicht wohl ist, zu Hause bleiben und heimlich ein paar Sachen zusammenpacken. Während die anderen dann munter ihr Fleisch vom Rost essen und ihren Wein trinken, steigen wir beide mit unseren Koffern in dein Auto und fahren los, in unsere wundervolle, gemeinsame Zukunft!«

Diese Vorstellung begeisterte mich um so mehr, je länger ich darüber sprach. Wie dumm ich doch gewesen war, wie einfallslos! Längst schon hätte ich darauf kommen können.

»Und wovon sollen wir leben? Hast du dir das auch schon einmal überlegt? Du besitzt nichts, und ich müßte hier doch alles zurücklassen. Oder glaubst du, dein Vater würde uns dann noch einen Pfennig geben?«

»Und wenn schon!« Ich war auf einmal so unbedenklich, so stark, so mutig. »Wir brauchen sein Geld nicht. Ich kann arbeiten. Oder tanzen. Wir werden schon nicht verhungern!«

»Du bist verrückt, Rita.«

»Vielleicht bin ich das. Na und? Besser verrückt als in all diesem Mief hier ersticken!«

Ich meinte jedes einzelne Wort so, wie ich es sagte. Und für den Bruchteil eines Augenblicks glaubte ich schon gewonnen zu haben. Dann jedoch sah ich, wie er langsam Luft einsog und wieder herausließ. Er hob die Hand und zeichnete mit dem Zeigefinger die Kontur meiner Lippen nach.

»Du hast bei deinem schönen Traum leider etwas Wesentliches vergessen, mein Kleines.«

»Was denn?« Meine Euphorie begann in sich zusammenzufallen.

»Meine Verlobte. Amelie.«

Allein dieses Wort genügte, um mich erneut in Rage zu bringen.
Er hielt noch immer an diesem Weib fest, nach allem, was ge-
schehen war!

»Diese alte, blasse Ziege! Was hat sie dir eigentlich versprochen,
damit du sie an den Altar führst? Tarnung? Gesellschaftliches
Ansehen? Das Geld ihres Vaters? Die meisten Leute heiraten aus
Verzweiflung, wußtest du das, Jean? Weil sie es nicht aushalten,
eines Tages von niemandem mehr gewollt zu werden. Oder weil
ihnen nichts anderes einfällt.« Zynisch fühlte ich mich, einsam
und plötzlich sehr erwachsen. »Womit hat sie dich eingefan-
gen – raus damit!«

»Du weißt ja gar nicht, was du sagst.«

Er war ein Stück von mir abgerückt, als könne er meine Nähe
plötzlich nicht mehr ertragen.

»Was ist es? Ihr Busen und ihr Hintern können es ja kaum
sein, habe ich recht? Läßt sie dich die gleichen scharfen Sachen
mit sich machen wie ich, ja? Schreit sie, wenn du dich in ihr
bewegst? Säuselt sie dir heiße Schwüre ins Ohr? Und das alles,
obwohl sie weiß, daß du in Wirklichkeit nur ...«

»Hör auf!« Jean war so leise geworden, daß mich plötzlich frö-
stelte. »Es reicht. Amelie besitzt Vorzüge, von denen du nicht
einmal träumen kannst. Sie versteht mich. Wir lieben die glei-
chen Bücher, sprechen die gleiche Sprache. Sie kennt meine Qua-
len. Und dennoch ist sie gütig und uneigennützig. Sie will mich
retten. Sie glaubt an mich.«

»Wie schön! Und wie edel! Aber das muß nicht unbedingt so
bleiben, nicht wahr, Jean?«

Mutwillig zertrat ich das letzte bißchen Hoffnung. Wenn er
mich schon verschmähte, dann sollte er auch zusammen mit mir
untergehen.

»Was soll das heißen? Was hast du vor?«

»Nun, ihr beispielsweise zu erzählen, was du diesen Sommer so

getrieben hast, während sie versonnen in ihren Gedichten ge-
blättert oder die Leintücher ihrer Aussteuer gezählt hat. Erst mit
mir, deiner Nichte. Und als ob das noch nicht genug sei, auch
mit meinem ...«

Er hatte genug. Ging steifbeinig zur Tür.

Nicht einmal damit konnte ich ihm angst machen. Meine Ver-
zweiflung wuchs.

»Und das werde ich tun, Jean, ja, das werde ich tun, darauf
kannst du dich verlassen. Es sei denn, du gehst mit mir fort.
Noch heute. Ich gebe dir Zeit, bis alle abgefahren sind. Dann er-
warte ich dich. Hier.«

Die Klinke in der Hand, drehte er sich noch einmal langsam zu
mir um. Sein Gesicht war unbewegt, eine höfliche Maske, glatt,
wie poliert.

»Hast du mich verstanden?« schrie ich. »Antworte gefälligst!«

»Nein, das wirst du nicht tun, Rita«, sagte er ruhig. Ganz der
überlegene Onkel, liebevoll-erzieherisch mit seiner unartigen
Nichte sprechend, die sich in Gefilde vorwagt, in denen sie
nichts zu suchen hat. In diesem Moment ahnte ich bereits, daß
er nicht kommen würde. Daß ich ihn endgültig verloren hatte.

»Du bist jetzt wütend und verletzt. Da sagt man häßliche Din-
ge, die man später bereut. Aber ich kenne dich. Ich weiß, daß
du zu so etwas gar nicht fähig wärst. Und du weißt es auch.
Spätestens, wenn du jetzt dann wieder zur Besinnung kommen
wirst.«

»Täusch dich nicht!« flüsterte ich, als ich wieder allein im
Raum war. Die kindische Blümchentapete, der Spiegeltisch, all
die Flakons und Töpfchen meines harmlosen Mädchenzimmers
schienen mich zu verhöhnen. Ich preßte meine Handballen zu-
sammen.

Ich weinte nicht.

◆

Ich stand am Fenster, als sie ein paar Stunden später zum Gut der von Menzingen aufbrachen. Maman, Papa, Riri, Friedl – alle in leichten, festlichen Sommersachen. Der große, schwarze Benz war in einer mächtigen Staubwolke kaum losgefahren, als sich ihm schon Jeans elegantes, helles Cabrio anschloß.

Er trug seine Staubmütze und die schmale, dunkle Sonnenbrille, die ihn so unnahbar aussehen ließ. Meine Kratzer auf seiner Wange waren nicht zu übersehen.

Er saß allein hinter dem Steuer. Der Platz neben ihm war leer. Jean hatte sich nicht einmal der Mühe unterzogen, Amelie mitzunehmen, so sicher war er sich.

Und er sah kein einziges Mal zu mir herauf.

♦

Seine Verlobte war nicht in ihrem Zimmer, das so schlicht und hell eingerichtet war wie das einer Nonne. Inzwischen war es mir vertraut; ich hatte mehr als einmal ihre Abwesenheit dazu benutzt, um in ihren Sachen herumzuspionieren. Es war mir gleichgültig, ob sie es bemerkte; manchmal hoffte ich sogar, sie würde mich darauf ansprechen, so nachlässig hinterließ ich alles. Aber sie hatte niemals ein Wort darüber verloren.

Ich traf sie mit ihrer Staffelei im Schatten der großen Kastanie unweit der Scheune. Amelie lächelte, als sie mich entdeckte, bot mir ein Glas frische Limonade an.

»Sollen wir uns es heute nicht einmal ganz gemütlich machen, nur wir beide? Ich hatte keine Lust auf das Essen, den Wein, die vielen Menschen. Manchmal ist mir einfach nicht nach Konversation zumute. Kennst du das auch, Rita?«

»Dein Jean macht sich an Männer ran«, sagte ich ohne Umschweife. »Und mehr als das. Er schläft mit ihnen. Nein, nicht einmal das ist richtig ausgedrückt. Er fickt sie.«

»Ich weiß«, erwiderte sie leise, aber fest. »Ich liebe ihn trotzdem.«

213

»Und daß er es heimlich auch mit Riri macht, weißt du auch?«

Sie wurde sehr blaß, aber bewahrte Haltung.

»Ja«, sagte sie schließlich. »Das auch.«

»Woher?«

Meine Stimme zitterte. Ich war dabei, den Boden unter den Füßen zu verlieren. Wie viele Mitwisser gab es noch?

»Der kleine Berliner hat es mir verraten. Aber es wird nicht wieder vorkommen. Hans hat es mir versprochen. Bei seinem Leben.«

Hans – sie sprach seinen Namen so zärtlich aus, als sei es ihr alleiniges Vorrecht, ihn so zu nennen. Wieso sagte sie nicht Jean wie wir alle? Weil es ihr alleiniges Privileg war? Weil sie und er sich in einer geheimen Sprache verständigten, die sonst keiner verstand? Die Eifersucht drohte mich zu ersticken. Ich hatte Lust, sie weiter zu quälen, ihr den Todesstoß zu versetzen.

Und ich wußte auch schon, wie.

»Und das mit Jean und mir – hat er dir das auch verraten? Daß er mich entjungfert hat? Daß ich seine Geliebte bin? Daß er alles mit mir macht, alles, hörst du, schon den ganzen Sommer lang? Jeden einzelnen verdammten Tag?«

Jetzt senkte sie die Augen. Endlich!

Aber irgendwann mußte sie wieder aufschauen.

Ich hatte Zeit.

Ich wartete.

»Ja.« Es war nur ein Wispern.

»Auch von Friedl? Rede, Amelie!«

Sie nickte matt. »Ich wollte es zunächst nicht glauben. Aber er hatte sehr überzeugende Argumente. Er hat mich zum Hochsitz geführt, wo du und Hans, ich meine du und Jean … wo ihr zusammenwart. Spätestens da wußte ich, daß er die Wahrheit gesagt hatte.«

Dieser kleine Hundsfott! Mit seiner heimlichen Auskundschafterei hatte er mich um alle meine Trümpfe gebracht. Ich hatte

214

ihn falsch eingeschätzt. Er war alles andere als ein folgsamer Schatten. Er war viel gefährlicher, als ich mir jemals hätte träumen lassen.

»Was willst du nun machen?« Bittend und mit großen, traurigen Augen sah sie mich an. »Es liegt ganz bei dir, Rita. Hans' Leben ist in deiner Hand. Und meines dazu. Denn wir gehören zusammen, was immer auch geschehen ist. Er braucht mich. Ich werde ihn niemals verlassen.«

»Liebeslang?«

Diesmal bellte ich das Wort, und sie verstand sofort, was es bedeutete.

»Liebeslang, ja, ganz richtig. Hör zu, Rita, Hans und ich werden miteinander weggehen, morgen schon oder übermorgen, das haben wir so besprochen, und vorerst werden wir nicht mehr wiederkommen. Eine ganze Weile. Sehr lange. Vielleicht sogar für immer. Auf jeden Fall, bis alle Wunden verheilt sind ... wenn sie jemals wieder ganz verheilen können ...«

Sie rang nach Luft.

Ich beobachtete sie, kalt und unbeteiligt, wie ein Forscher das Insekt, das er gerade aufgespießt hat, und das im Todeskampf noch einmal kraftlos mit den Flügeln schlägt.

»Wenn du jetzt also erwachsen und tapfer bist, eine richtige erwachsene Frau, wenn du niemandem etwas verrätst und schweigst, auch wenn es dir drinnen sehr weh tut, dann kann doch noch alles gut werden. Tust du das, Rita?«

Sie klang so hoffnungsvoll!

Glaubte sie vielleicht, sie könne mich auf diese Weise auf ihre Seite ziehen?

»Wenn schon nicht für mich, dann doch wenigstens für ihn ... für Jean ... deinen geliebten Jean ...«

Ich ließ sie einfach stehen, wortlos, ohne mich darum zu kümmern, was sie mir über den leeren, sonnendurchfluteten Hof noch hinterherrief.

»Ich lasse dich sterben, Jean«, murmelte ich zwischen zusammengepreßten Zähnen, während ich wie um mein Leben in Richtung Weiher lief. Ich hielt nicht an, bis ich endlich den Wald erreicht hatte. »Du wirst mich noch kennenlernen, das schwöre ich dir! Dem Tod treibe ich dich in die Arme. Und deine Amelie mit dir.«

Neunzehn

Hanne starrte mit leeren Augen in Richtung Fenster. Die Decke hatte sie bis zum Hals hochgezogen. Auf ihrem Schoß lagen zwei seltsame Gebilde aus weichem, gummiartigem Material, oval das eine, das andere eher rund.

»He, was machst du denn für ein Gesicht?« Sina zog sich besorgt einen Stuhl näher. »Ist irgend etwas passiert?«

Hanne schwieg und deutete nur auf das leere Bett neben sich.

»Julie?« Etwas krampfte sich in Sinas Brust zusammen. »Sie ist doch nicht etwa …«

»Gestorben, meinst du? Nein, nur nach Hause gegangen. Aber sie wird wiederkommen, Sina. Bald schon. Zum nächsten Torturdurchgang. Soviel ist sicher. Falls sie nicht zufällig vorher krepiert. Und mir wird es auch nicht anders gehen.«

»Ein schwarzer Tag heute, hm? Wo du plötzlich wieder allein hier liegst, nachdem ihr euch auf den zweiten Blick doch noch so gut verstanden habt. Alles andere als einfach, oder? Ich kann mir gut vorstellen …«

»Nein, das kannst du eben nicht!« unterbrach Hanne sie scharf. »Das könnt ihr alle nicht. Und dann auch noch dieser Scheiß hier!« Sie versetzte den Gummiteilen einen wütenden Schubs, daß sie vom Bett fielen. »Feine Aussichten!«

Bill sollte am nächsten Morgen ankommen, um sie von der Klinik nach Hause zu bringen, und angesichts Hannes

Stimmung tat es Sina leid, daß er keine frühere Maschine genommen hatte. Vielleicht würde wenigstens ihm gelingen, woran sie alle offenbar im Augenblick scheiterten: Hanne neuen Mut zu machen.

»Das ist doch nur übergangsweise, Hanne!« versuchte sie trotzdem ihr Bestes.

»Bis sie mir die zweite Brust auch noch abnehmen, meinst du das?«

»Unsinn! Bis sie den Aufbau machen können. Du wirst wieder gesund. Du bist es ja beinahe schon. Noch ein bißchen Geduld vielleicht, und wenn du dich anschließend wirklich konsequent schonst ...«

»Geduld! Schonen?« explodierte Hanne und richtete sich erregt weiter auf. »Ich atme noch, auch schon gemerkt? Dann hör endlich auf damit, mich jetzt schon endgültig aufs Abstellgleis zu stellen! Ich bin weder verkrüppelt noch aussätzig. Mir fehlt nur eine Brust. Hast du selber gesagt. Zweihundert Gramm Fettgewebe. Kannst du nicht ganz normal mit mir umgehen? So wie früher auch?«

»Klar kann ich das. Und es ist mir sogar viel lieber so.« Sina holte tief Luft. »Aber dann hör auch du gefälligst damit auf, dich selber zu bemitleiden, ja? Steh auf und kämpfe – es lohnt sich nämlich! Niemand ist schuld, Hanne, an dem, was dir passiert ist. Du nicht, aber auch keiner von uns. Oder irgend ein Fremder. Man könnte es Schicksal nennen oder Pech oder dummen Zufall, was weiß ich? Auf jeden Fall ist es ein Warnschuß, den du da abgekriegt hast, nicht mehr und nicht weniger, und du solltest ihn verdammt ernstnehmen. Wenn du was an deinem Leben ändern willst, dann tu es jetzt! Fang am besten auf der Stelle damit an! Geht das in deinen sturen Dickschädel?«

Schweigend starrten sie sich an.

Schließlich streckte ihr Hanne mit schiefem Lächeln eine

dünne Hand entgegen. »Könntest du die Dinger mal bitte für mich aufheben?«

Sina tat, was Hanne verlangt hatte, und legte die Teile wieder auf das Bett zurück. »Und was jetzt?«

»Na, wofür soll ich mich jetzt entscheiden: Apfel- oder Birnenform?«

✦

Sie ließ die Freundin in wesentlich besserer Verfassung zurück. Aber es war nur ein Aufschub, das wußte Sina, als sie aus dem Krankenhausmief hinaus ins strahlende Sonnenlicht trat, ihren Wagen aufschloß und losfuhr. Hanne hatte eine Grenze überschreiten müssen, gezwungenermaßen, und es würde dauern, bis sie wirklich damit zurechtkam. Sie, die Freunde, konnten ihr dabei nur Hilfe anbieten. Den wichtigsten, schwierigsten Teil mußte sie ganz allein vollbringen.

Sina hatte einen Umweg gemacht und hielt nun am Anfang der Trogerstraße vor dem renovierungsbedürftigen Altbau, in dem Dr. Julius Winter seine Praxis hatte. Im angeschmuddelten Treppenhaus rekapitulierte sie noch einmal stumm, was sie den langjährigen Hausarzt der Fürsts fragen wollte, und legte sich bereits die passenden Antworten auf seine Einwände zurecht.

Die Kur schien Dr. Winter gutgetan zu haben; sein faltiges Gesicht war leicht gebräunt und wirkte frisch, trotz der dicken Tränensäcke, die ihm etwas Eulenhaftes verliehen.

»Ja, ich praktiziere noch immer«, sagte er unaufgefordert und bewies damit, daß er ihren prüfenden Blick sehr wohl bemerkt hatte, »und das, obwohl ich in ein paar Wochen zweiundsiebzig werde. Aber wissen Sie, meine Frau lebt nicht mehr, da weiß ich wenigstens, was ich den ganzen Tag anfange. Außerdem sind viele meiner Patienten mit

219

mir alt geworden. Die schätzen es, wenn man ihre Krankengeschichten aus dem Effeff kennt und keine neuartigen Apparate oder Geräte, dafür aber Geduld und eine Menge Erfahrung zu bieten hat.«

»Deshalb schätzte Sie auch Ottfried Fürst?«

Er nickte. »Ja, deshalb. Nehmen Sie doch bitte Platz! Allzuviel Zeit habe ich allerdings nicht. Meine Praxis, Sie verstehen. Schließlich bin ich ja im Dienst, sozusagen.«

Das Wartezimmer war leer, wie sie im Vorbeigehen gesehen hatte. Der Andrang schien sich seiner Behauptungen zum Trotz in durchaus überschaubaren Grenzen zu halten.

»Ich werde Ihre Zeit nicht lange beanspruchen. Lassen Sie mich gleich zur Sache kommen! Herr Fürst war bei Ihnen wegen Potenzproblemen in Behandlung?«

Er schaute betreten zur Seite und rieb seine lange, fleischlose Nase. »Auf diese Frage kann ich Ihnen nicht antworten. Das müssen Sie als Anwältin doch wissen.«

»Gut, dann lassen Sie es mich anders versuchen. Ich habe in seinem Appartement eine Menge von Mittelchen gesehen, die angeblich die Manneskraft stärken sollen. Ihnen wie mir ist bekannt, daß das meiste davon nur Geldschneiderei ist und keinesfalls zum gewünschten Erfolg führt. Seit einiger Zeit ist das Medikament Viagra auf dem Markt. Hat Ottfried Fürst Sie gebeten, ihm Viagra zu verschreiben?«

Winter zog die mageren Schultern hoch. »Ich kann mich nur wiederholen. Ich darf darüber keine Auskunft erteilen. Tut mir leid, Frau Teufel. Ich hätte Ihnen gern geholfen.«

»Andere Kollegen waren offenbar sehr viel weniger bedenklich als Sie«, sagte Sina nicht ohne Schärfe. »Man hat bei der Obduktion nämlich eine ganze Menge von dem Zeug in Fürsts Magen gefunden. Das Dreifache der zulässigen Dosis, um genau zu sein. Eine Menge, die ihn umgebracht hat.«

»Aber das ist gänzlich unmöglich!« Dr. Winter stand auf und begann erregt hin und her zu gehen.

»Es ist so, wie ich Ihnen sage. Kann er sich die Tabletten anderswo beschafft haben?«

»Möglich, da scheint es verschiedenste Quellen zu geben, aber ich kann es mir eigentlich nicht vorstellen. Ich habe ihm doch ausdrücklich gesagt, daß sie für jemanden wie ihn nicht in Frage kommen, nicht bei seinem Krankheitsbild!«

»Er *hat* Sie also danach gefragt?« Sina war ebenfalls aufgesprungen. »Kommen Sie, Herr Doktor, es geht hier höchstwahrscheinlich um Mord! Vorausgesetzt allerdings, wir finden endlich ein paar handfeste Beweise. Denn sonst schließt die Staatsanwaltschaft aus Bequemlichkeit noch die Akte. Ich befürchte, es ist schon fast soweit.«

»Also gut, meinetwegen, wenn es dazu dient, ein Verbrechen an einem langjährigen Patienten aufzuklären ...« Sein Kinn zitterte unmerklich. »Ja, er wollte, daß ich ihm Viagra verschreibe. Dürfte um die sechs Wochen her sein, als er bei mir war. Er hatte wohl eine Frau kennengelernt.«

»Den Namen hat er nicht genannt?«

»Nein. Ottfried Fürst war immer sehr diskret, was seine persönlichen Angelegenheiten anging. Deshalb hab ich mich auch gewundert, als er mich direkt um ein diesbezügliches Rezept angegangen ist. Dürfte ihm nicht leicht gefallen sein. Seine Bekanntschaft schien etwas Forsches, ja Drängendes gehabt zu haben, ganz anders, als die liebe, verstorbene Charlotte. Er befürchtete offenbar, beim näheren Kontakt als Mann nicht standhalten zu können. Jedenfalls machte er einige Andeutungen in dieser Richtung.« Winter wiegte bedenklich seinen Kopf.

»Aber ich habe sein Anliegen strikt abgelehnt. Aus eben den Gründen, die ich Ihnen zuvor genannt habe. Richtig heftig bin ich geworden, was sonst nicht meine Art ist.« Er veränderte seine Stimmlage, sie wurde tiefer und energisch. »›Sie dürfen das Medikament auf keinen Fall einnehmen, Herr Fürst! Und wenn doch, dann riskieren Sie zu sterben!‹«

»Haben Sie ihm das so gesagt?«

»Unmißverständlich. Und glauben Sie mir, es ist mir nicht leicht gefallen. Er war so beschwingt, als er kam, so freudig erregt. Monatelang hatte ich ihn nicht mehr so gesehen, ach, was sage ich: jahrelang! Ich hätte ihm gern geholfen.«

»Und seine Reaktion?«

»Er war enttäuscht, aber er hat es geschluckt. Da bin ich ganz sicher. Er hat sogar beim Gehen noch einen Scherz gemacht: ›Man braucht wirklich Mut, um alt zu werden‹, irgend etwas in der Art. Wir haben beide gelacht, zwei alte Männer unter sich, mit einem Bypass der eine, mit einem Prostataleiden der andere, Sie verstehen schon, was ich sagen will.«

Sina war fast zufrieden.

»Eine Frage noch, Herr Doktor Winter: Würden Sie sagen, daß Ottfried Fürst sein Leben geliebt hat?«

»Ich verstehe nicht ganz.«

»Hat er gern gelebt? Hing er am Leben?«

»Ja, sehr sogar. Und in letzter Zeit erst recht, da er nach dem Tod seiner Lotte doch wieder neuen Auftrieb hatte.«

»Glauben Sie, er hätte sein Leben bewußt aufs Spiel gesetzt? Zum Beispiel durch die Einnahme von Viagra, nachdem Sie ihn ausdrücklich auf die Gefährdung hingewiesen haben?«

»Wenn Sie mich so fragen – nein. Er war immer sehr besorgt um seine Gesundheit. Nein, das hätte er sicherlich nicht getan.«

◆

Sie wühlte sich gerade durch Berge von Akten, als Carlo unvermutet in der Kanzlei auftauchte. Sina erschrak, als sie ihn genauer betrachtete.

»Wie siehst du denn aus?« Sein linkes Auge war blau unterlaufen und angeschwollen. »Hast du dich geprügelt?«

Mit einem schiefen Lächeln winkte er ab. »Man hat eher mich geprügelt, Sina. Ich sollte mir angewöhnen, lieber doch auf dich zu hören.«

»Allerdings! Was ist passiert?«

»Luigi hat es nicht besonders gut gefallen, daß ihn auf einmal der Staatsanwalt und drei nette Polizisten empfingen, um ihn eingehend nach der Herkunft des Weins zu befragen. Er ist sogar richtig ausfallend geworden. Verstand plötzlich kein Wort Deutsch mehr, aber das hat ihm nicht viel genützt. Plötzlich, als er sich unbeobachtet fühlte, versuchte er zu fliehen.« Carlo grinste. »Leider stand ich ganz zufällig im Weg. Und da hat er zugeschlagen. Kräftig zugeschlagen, wie du siehst. Aber eines ist sicher: Der verkauft keinen gepanschten Wein mehr. Wenigstens nicht in nächster Zeit. Sie haben ihn gleich mitgenommen.«

»Bravo, Mr. Sherlock Holmes!« erwiderte Sina spöttisch. »Und was können Sie mir über Herrn Bärmoser verraten?«

»Eine ganze Menge, du wirst lachen! Gewohnt hat er in Harlaching, Autharistraße, um präzise zu sein. Lauter nette Bungalows, keine üble Gegend. Und aufmerksame Nachbarinnen, kann ich dir versichern! Ich bin ein bißchen herumspaziert, adrett gekleidet natürlich, wie immer in solchen Fällen …«

»So, wie du jetzt aussiehst? Mit deinem Matschauge?«

»Was in der Regel bei Frauen zieht, wenngleich du ja leider gegen meinen umwerfenden Charme immun zu sein scheinst. Und was das Auge betrifft, wozu gibt es schließlich elegante Sonnenbrillen? Jedenfalls habe ich offenbar seriös genug gewirkt, um mit ein paar Damen ins Gespräch zu kommen.«

»Muß ich dir nun jedes Wort einzeln aus der Nase ziehen?« Carlo begann in einem kleinen schwarzen Notizbuch zu blättern. »Also, bitte sehr: »Leo Bärmoser hatte zwei Einrichtungsgeschäfte, die er als Einstieg in seinen Ruhestand verkauft hat, war also durchaus nicht unvermögend. Verwitwet seit 1992. Ständig in der Weltgeschichte unterwegs, bis er dann 1996 seine neue Freundin kennenlernte. Mit ihr hat er zunächst viel unternommen, und binnen kurzem ist sie dann zu ihm gezogen. Anfang 1997. Was, unter uns, den Nachbarinnen nebenan und gegenüber überhaupt nicht gefallen hat, die sich offenbar selber heimliche Chancen ausgerechnet hatten. Bald darauf ging es dann rapide bergab mit ihm, gesundheitlich, meine ich.«

Er legte eine wirkungsvolle Pause ein.

»Jetzt wird es interessant: Die Freundin scheint ihn zuerst zu Tode gepflegt und anschließend umfassend beerbt zu haben. Allem Anschein nach wohnt sie immer noch in seinem Bungalow, der inzwischen wohl ihr Bungalow geworden sein dürfte.«

Er zwinkerte. Rieb sich das verletzte Auge.

»Ließe sich ja relativ problemlos überprüfen, oder? Grundbuchauszug und so.«

»Ließe sich. Jetzt müßte ich nur noch wissen, wozu.«

»Oh, hab ich das ganz vergessen zu sagen? Ich hab mich mal ein bißchen rund ums Haus umgesehen. Alles gut in Schuß, Blumenrabatten, Tujenhecken, gestärkte Tüllgardinen. Sehr adrett und gepflegt.«

»Und?« fragte Sina ungeduldig. »Was hat das mit Ottfried Fürsts Tod zu tun? Komm endlich zur Sache, Carlo!«

Das Telefon begann zu läuten. Wieso hatte sie eigentlich ausführlich mit dem Sekretariat abgesprochen, daß heute keine Anrufe mehr durchgestellt werden sollten, wenn sie jetzt doch ständig gestört wurde?

»Für dich, Frau Teufel«, sagte Anke schnell, bevor Sina aus der Haut fahren konnte. »Maria Schnell. Die Heimtante. Scheint eine Art Notfall zu sein.«

»Augenblick bitte mal!« Sie hielt die Hand über die Muschel und schaute Carlo auffordernd an.

»An der Klingel steht nur ein einziger Name: Stein, Sina. Helene Stein.«

»Hier ist die Katastrophe los, Frau Doktor Teufel!« So durcheinander hatte die Heimleiterin noch nie geklungen. »Können Sie nicht gleich vorbeikommen? Herr Fürst hat mich bedroht und die Wohnung seiner Eltern durchwühlt!«

»Wieso rufen Sie nicht einfach die Polizei? Sie können ihn doch wegen Hausfriedensbruch belangen. Schließlich sind wir hier nicht im Wilden Westen!«

»Das hätte uns gerade noch gefehlt! Noch einen Skandal können wir uns nicht leisten. Aber deshalb rufe ich gar nicht an. Er hat außerdem ... Stellen Sie sich vor, er hat doch tatsächlich ...«

»Was hat er, Frau Schnell? Bitte versuchen Sie, ganz ruhig zu sein. Eines nach dem anderen!« Sina mußte eine Weile warten, bis sich die Heimleiterin halbwegs faßte. Aber selbst dann klang Maria Schnell atemlos.

»Henny Waldheim niedergeschlagen. Wir haben sie auf dem Flur gefunden. Blutend. Und ganz verwirrt.«

»Dieser Mistkerl!«

»Das kann man wohl sagen!«

»Ist ihr etwas passiert? Haben Sie ihn schon angezeigt?«
»Sie phantasiert, Frau Teufel. Sie weiß nicht mehr, wo sie
ist. Und sie verlangt nach Ihnen.«
»Nach mir? Weshalb?«
»›Die Anwältin‹«, hat sie gesagt. »›Ich will die Anwältin.‹«

Zwanzig

Jetzt blieb nur noch ein Schritt, und obwohl alles in mir schrie, daß Jean den Tod verdient habe, fiel er mir doch unsagbar schwer. Ich weinte den ganzen Tag und den ganzen Abend, hatte mich in meinem Zimmer verbarrikadiert unter dem Vorwand, an fürchterlichen Kopfschmerzen zu leiden, die mich um den Verstand brachten. Dabei war ohnehin niemand zu Hause bis auf Amelie, die sich nicht zu mir heraufwagte, und Berthe, unser Mädchen, die ich zweimal mit erstickter Stimme vor der Tür abwies.

Die anderen kamen spät zurück, lange nach Mitternacht.

Ich hörte das Schlagen der Wagentüren, die gedämpften Stimmen, die Schritte.

Dann wurde es still.

Mein Herz schlug so ungestüm gegen die Rippen, daß ich es kaum ertragen konnte. Sollte ich gleich nach unten stürmen, weinend, schreiend, mit dem Faustpfand in der Hand? Ich begann zu zittern, so erregt war ich. So elend fühlte ich mich.

Doch dann besann ich mich anders.

Ich wollte kein heimliches Ende, im Dunkel der Nacht, die alles gnädig verhüllen würde. Der helle, strahlende Morgen sollte meine Rache erleben. Damit keiner von uns sie jemals vergessen konnte.

Irgendwann mußte ich dann doch eingeschlafen sein. Als ich erwachte, zerschlagen und verquollen, hatte das Haus seinen Tagesablauf bereits begonnen. Ich hörte das Klappern von Geschirr, Lachen aus der Küche, das Gackern der Hühner, als sei es ein Sonntag wie jeder andere. Plötzlich war alles ganz einfach: Ich holte mein Tanzkostüm aus dem Schrank. Meine Fin-

ger berührten noch einmal zärtlich das feine Gewebe, dann rissen sie es in Fetzen. Einmal. Immer wieder.

Die Seide brach.

Innerhalb weniger Augenblicke war alles, was zuvor hell und anmutig gewesen war, häßlich und zerschlissen.

Ich schwitzte, glühte wie im Fieber am ganzen Körper. Der letzte Akt konnte beginnen.

✦

Danach wusch ich mich hastig, schlüpfte in mein weißes Kleid, in dem Papa mich am liebsten sah, und packte das geschändete Kostüm. Bevor ich hinausging, schaute ich noch einmal in den Spiegel: eine schlanke, junge Frau – kein Mädchen mehr – mit dichtem, dunklen Haar und grauen Augen, in denen jetzt Schatten wohnten.

Die Todesfee. Mit ihren giftigen Fetzen.

Ich atmete tief aus. Dann ging ich langsam hinunter in die Bibliothek, wo Papa jeden Morgen seine Zeitungen las.

✦

Er sah auf, ernst, konzentriert, nicht einmal überrascht.

»Du siehst blaß aus, Henriette«, sagte er und nahm die goldgefaßte Lesebrille von der Nase. Neben ihm stand die Tasse Earl Grey, die immer sein morgendliches Ritual begleitete. Sie war unberührt und wohl schon kalt geworden; er hatte noch keinen Schluck getrunken. »Beinahe, als ob du nicht gut geschlafen hättest.«

»Nein, ich habe nicht gut geschlafen, Papa.«

Ich blieb stehen, steif, mit durchgedrückten Knien, das Fetzenkleid über dem Arm.

»Und weshalb nicht?« Er klang kühl, fast geschäftsmäßig.

Mein Mut schwand. Wenn ich jetzt nicht gleich redete, würde ich es vielleicht nie mehr fertigbringen.

»Deshalb!« Anklagend hielt ich ihm das Tanzkostüm entgegen. »Das war Jean, Papa. Er hat mich vergewaltigt. Ich möchte nur noch tot sein.«

Er zeigte keine Reaktion.

»Wann?« fragte er nur.

»Vorgestern abend. Nach dem Tanz. Ich war schon auf meinem Zimmer, als ich seinen Brief fand. Ich solle kommen, ganz dringend, weil er mir unbedingt etwas Wichtiges sagen müsse. Zuerst wollte ich nicht gehen, es war kühl, es hat geregnet, und ich war so müde. Aber dann ...« Ich hielt inne. »Du weißt, wie gern ich ihn habe, Papa.«

»Du bist also doch gegangen.«

»Ja, ins Bootshaus. Wo er mich hinbestellt hatte. Und dort, dort, Papa, hat er mein Kleid ins Fetzen gerissen und sich auf mich gestürzt.«

Die Tränen kamen leicht, wie selbstverständlich. Als hätten sie nur darauf gewartet, endlich wieder fließen zu dürfen. Ich schleuderte ihm das Kostüm entgegen. Er duckte sich, als es ihn berührte, wischte es weg, wie verbrannt.

»Wieso kommst du erst jetzt damit zu mir?«

»Weil ich mich so geschämt habe, Papa. Du kannst dir nicht vorstellen, wie sehr. Es war so schrecklich. Ein Alptraum. Seine Hände auf meinem Körper, sein Atem, seine Küsse ... Natürlich hab ich mich gewehrt, wie eine Verrückte sogar, hab ihn geschlagen, getreten und gekratzt. Hast du nicht die Spuren auf seinen Wangen gesehen, Papa? Aber er war doch viel stärker als ich. Alles hat nichts genützt ...«

Mein Schluchzen war laut geworden. Unerträglich laut. Er verzog sein Gesicht.

»Er hat einfach nicht aufgehört, Papa, Jean hat einfach nicht damit aufgehört ...«

Tief in mir begann eine Alarmglocke zu läuten. Wieso nahm er mich nicht in den Arm, um mich zu trösten? Wieso blieb er wie *angewurzelt in seinem grünen Ledersessel sitzen und starrte mich wortlos an, anstatt seinen Bruder zu beschimpfen und zu bedrohen?*

Da war er wieder, der schwarze Drache, mit seinem Flügelschlagen, grinsend, die spitzen Zähne unheilvoll gefletscht! Jetzt füllte er den ganzen Raum, nahm mir die Luft.

Mein Atem ging stoßweise.

»Ich fürchte, du bist ein bißchen spät dran, Henriette«, sagte er schließlich langsam mit eisiger Ruhe, als koste ihn jedes Wort unendlich viel Kraft. »Und ich muß auch sagen, du hast eine Menge Phantasie. Erschreckend viel für eine Sechzehnjährige.« Er schien um Jahre gealtert. So streng, so grau, hatte ich ihn noch nie gesehen. »Ich denke, es wird Zeit, daß wir diese Farce nun beenden. Endgültig.«

Plötzlich fiel mir auf, daß er Handschuhe trug. Feine, schweinslederne Handschuhe, hell und elegant. Aber weshalb?

Ich konnte mir keinen plausiblen Grund dafür vorstellen.

Er wandte sich schräg nach links, wo ein Paravent im Sommer den Kamin verbarg.

»Du kannst jetzt rauskommen, Friedl. Sie hat ihre Chance gehabt.«

Betäubt vor Entsetzen sah ich, wie der Junge mir entgegenstarrte, neugierig, ja geradezu unbefangen. Auch ich starrte ihn an. Unser Blickkontakt konnte nur Bruchteile von Sekunden gedauert haben, so schnell bewegte Friedl sich, wenngleich es mir unendlich lang vorkam.

Dann war er aus dem Zimmer und Papa gleich hinter ihm. Aus den Augenwinkeln sah ich, wie er im Vorbeigehen seine Jagdflinte packte.

Dann hörte ich noch das rauhe Geräusch des Schlüssels. Metall auf Metall. Schritte, die sich rasch entfernten.

Und meinen überlauten Herzschlag.

Ich war gefangen. Allein mit meinem Verrat.

Einundzwanzig

Amelie?« flüsterte Henny Waldheim, als Sina sich über sie beugte. »Bist du es, Amelie? Du bist aus Afrika zurückgekommen? Wirst du ihn jetzt endlich heiraten?«

»Ich bin nicht Amelie. Ich bin Sina Teufel. Die Anwältin, nach der Sie geschickt haben. Kann ich Ihnen helfen, Frau Waldheim? Bitte sprechen Sie!«

Keine Antwort. Sie sah elend aus, ihre Augen waren geschlossen. Die Stirn zierte ein großes Pflaster, blutdurchtränkt. Das Pflegepersonal hatte sie in ein verblichenes Flanellnachthemd gesteckt. Ohne ihren gewohnt phantasievollen Aufzug wirkte sie verfallen, ja greisenhaft.

»Wer ist Amelie, Frau Waldheim? Ihre Mutter? Oder Ihre Schwester?« fragte Sina noch einmal.

»Maman? Ich wollte immer so sein wie sie. Aber ich war nicht wie sie. Niemals! Egal, wie sehr ich mich auch bemüht habe.«

Maria Schnell, auf der anderen Seite des Bettes, zuckte ratlos die Achseln.

»Der Arzt war vorhin da«, sagte sie leise. »Er wollte sie unbedingt ins Krankenhaus einweisen, aber da hätten Sie sie mal erleben sollen! Wie eine Verrückte hat sie sich dagegen gewehrt. Mit Händen und Füßen. Getreten hat sie, gekratzt und sogar gespuckt. Ich kann Ihnen sagen, unsere Leute hier machen wirklich eine ganze Menge mit!«

»Wo ist die Anwältin? Ich will die Anwältin!« schrie die Kranke plötzlich.

»Ich bin doch da, Frau Waldheim, bitte beruhigen Sie sich!« Sina drückte behutsam die Hand der Verwirrten. »Spüren Sie mich? Ich bin hier, bei Ihnen. Und wenn Sie jetzt noch die Augen aufmachen, dann erkennen Sie mich auch.«

Henny Waldheim schaute sie an, ungläubig, als habe sie sie noch nie im Leben gesehen.

»Wollen Sie mir vielleicht etwas sagen? Haben Sie deshalb nach mir verlangt? Ich höre Ihnen gern zu.«

»Ich bin eine andere«, entgegnete die alte Frau zu Sinas Verblüffung. »Alles nur Täuschung, verstehst du? Betrug. Verrat. So, wie er mich verraten hat.«

»Und wer sind Sie?«

Die Liegende blieb stumm.

»Wissen Sie vielleicht, was sie meinen könnte?« wandte Sina sich an Maria Schnell. »Oder wer diese Amelie ist, mit der sie mich offenbar verwechselt hat?«

»Nein, aber so geht das schon die ganze Zeit«, erwiderte die Heimleiterin resigniert. »Seitdem sie gestürzt ist. Ich glaube, es hat sich folgendermaßen abgespielt: Leander Fürst ist in ihr Zimmer eingedrungen und hat sie wegen des Testaments seines Vaters zur Rede gestellt. Sie müssen sehr schnell laut geworden sein, alle beide, jedenfalls haben mir das Herr Krumm und Herr Klier berichtet. Und dann hat er sie geschlagen. Dabei hat sie das Gleichgewicht verloren und ist gestürzt. Wenn sie sich nur nichts gebrochen hat! Natürlich müßte sie geröntgt werden, dringend sogar, aber sie hat sich strikt geweigert.«

»Wo ist Fürst jetzt?«

»Das weiß ich nicht. Er hat das Haus verlassen, bevor wir ihn festhalten konnten. Vielleicht taucht er jetzt unter, weil er Angst hat, er könne sie ernstlich verletzt haben.«

»Dazu hat er auch allen Grund«, sagte Sina grimmig. »Und

zu ihm passen würde es außerdem. Er bekommt seine Anzeige wegen Körperverletzung, da können Sie ganz sicher
sein. Weshalb hat er eigentlich *Sie* bedroht?«

Der Atem der Liegenden ging rasselnd. Schwer festzustellen, ob sie schlief oder wach war.

»Er hatte sich Eingang in die Zimmer seines verstorbenen
Vaters verschafft und dort alles durchwühlt. Mit dem Zweitschlüssel, den wir schon die ganze Zeit vermißt hatten. Im
Sekretär muß er dann auf die Kontoauszüge gestoßen sein.
Und hat anscheinend festgestellt, daß alle Konten leergeräumt waren, alle Fondsanteile verkauft. Er geriet außer
sich. Natürlich hat er als erstes mich verdächtigt. Wahrscheinlich war ich ihm schon seit der Testamentseröffnung
ein Dorn im Auge, weil sein Vater mit seiner Hinterlassenschaft doch den Bau unseres Konzertsaals unterstützen
wollte. ›Aasgeier‹ hat er mich genannt, ›Diebin‹, ›gemeine
Verbrecherin‹, stellen Sie sich das nur mal vor!«

Sie wirkte erschöpft. Ihr Gesicht war erhitzt und gerötet.
Die ganze Aufregung schien ihr schwer zuzusetzen.

»Dabei weiß ich natürlich nicht, wo das Geld hingekommen sein könnte. Ich war ja selber mehr als überrascht, als
ich zum Nachlaßgericht bestellt wurde. Und erst recht, als
ich die großzügige Verfügung des verehrten, lieben Kammersängers gehört habe. Nein, ich habe nicht die geringste Ahnung. Sie vielleicht, Frau Doktor Teufel?«

Sina schien es sinnvoller, vorerst nicht darauf zu antworten.

»Ich habe noch alle seine Briefe«, murmelte Henny Waldheim unvermittelt. »Der einzige Beweis dafür, daß mein
Herz einmal Schwingen hatte. Daß ich fliegen konnte – wenigstens beinahe. Willst du sie sehen?«

»Gerne«, sagte Sina. »Wo sind die Briefe? Soll ich sie holen?«

Ein runzliger Finger legte sich in verschwörerischer Geste

über die Lippen. »Pst, später! Erst wenn alle weg sind. Dann rufe ich dich.«

✦

Gleich unten im Wagen vervollständigte sie die Liste, die für Staatsanwalt Hartl bestimmt war. Sina hatte alle Punkte, die Carlo van Rees über Leo Bärmoser und sein Ableben herausgefunden hatte, peinlich genau aufgeführt mit der Bitte nachzuprüfen, ob schon einmal Ermittlungen gegen eine gewisse Helene Stein im Zusammenhang mit ungeklärten Todesfällen erhoben worden seien. Im Grundbuch war sie als Eigentümerin des Hauses in der Autharistraße eingetragen. Hinzugefügt war ein detailliertes Protokoll der Aussagen von Dr. Julius Winter.

Ein genetischer Fingerabdruck – Haare, Hautpartikel, Scheidensekret – könnte belegen, ob Helene Stein am Todestag bei Ottfried Fürst gewesen ist, schrieb sie. *Ich gehe davon aus, daß sich die verschwundene Cartier-Uhr ebenfalls in ihrem Besitz befinden könnte. Zusammen mit einer größeren Menge Bargeld.*

Sie notierte weiter, was sie soeben von Maria Schnell über Fürsts leere Konten erfahren hatte.

Ich weiß, daß das noch keine Beweise sind, fügte sie hinzu, *aber doch immerhin ausreichend schwere Verdachtsmomente, die eine Ermittlung gegen Helene Stein als vertretbar, ja sogar erforderlich erscheinen lassen. Ein Mensch ist zu Tode gekommen, sehr geehrter Herr Staatsanwalt. Und wir sollten alles tun, um die wahren Umstände seines Ablebens zu ermitteln.*

Morgen früh würde sie Anke das Dossier perfekt abtippen lassen und anschließend dafür sorgen, daß es Hugo Hartl persönlich übergeben wurde.

✦

Den ganzen Abend keine Nachricht aus dem Oskar-Maria-Graf-Domizil. Inzwischen war es viel zu spät, um dort noch einmal anzurufen. Sina konnte nur hoffen, daß Henny Waldheim die Nacht einigermaßen überstehen würde. Sie selber holte sich Trost in einem ausführlichen Telefonat mit ihrem Geliebten. Auch wenn dies nur ein beschränkter Trost sein konnte.

»Ich weiß auch nicht, was los ist, aber du fehlst mir so, daß ich es kaum noch aushalten kann. Am liebsten würde ich auf der Stelle durch den Hörer zu dir kriechen.«

Sein warmes, tiefes Lachen. »He, Süße, das sind ja ganz neue Töne! Aber Töne, die mir gefallen. Kannst du es nicht noch einmal sagen?«

»Sooft du willst. Hundertmal, wenn es sein muß. Tausendmal.«

»Soll ich morgen den ersten Flieger nehmen, um dabei zu sein, wenn ihr Hanne aus der Klinik holt?« Sie hörte, wie er in seinem Terminkalender blätterte. »Ich müßte tatsächlich einiges verschieben, aber es wäre durchaus möglich. Möchtest du das? Brauchst du seelische Unterstützung?«

»Lieb von dir, aber ich denke, das schaffen Carlo, Bill und ich auch ohne dich. Wahrscheinlich kriegt sie den Mund ohnehin nicht zu, wenn auf einmal ihr Herzbube vor ihr steht.« Sie lachte. »Ein Schock pro Tag dürfte für ihren zarten Zustand mehr als genug sein.«

»Du redest aber mit ihr nicht in diesem Ton, oder?«

»Genauso, Laszlo. Sie hat es sich nämlich ausdrücklich gewünscht. Sobald hier alles einigermaßen gut über die Bühne ist, komme ich sofort zu dir nach Berlin. Und dann setzen wir uns zusammen und planen unser weiteres gemeinsames Leben, ja?«

»Das klingt ja fast gefährlich.«

»Ist es auch. Alles muß anders werden. Und zwar bald. Das weiß ich jetzt.«

»Ich liebe dich, Sina.

»Ich dich auch. Und wie!«

✦

Sie tat alles, um den Aufbruch aus der Klinik hinauszuzögern, obwohl Hanne drängte, als könne sie es keinen Augenblick länger hier aushalten.

»Du bist vielleicht langsam!« schimpfte sie, als Sina ihre Toilettensachen zusammenpackte. »Eine richtige Schnekke. Was ist los mit dir? Träumst du jetzt schon mit offenen Augen von deinem schwarzen Berliner Kerl?«

Sina wurde keinen Deut schneller. Wo steckten bloß Carlo und Bill? Ein Anruf bei der Fluggesellschaft hatte ergeben, daß die Maschine aus New York planmäßig gelandet war. Wieso waren die beiden dann nicht längst hier, wie ausführlich vereinbart?

»Sollen wir irgendwo noch einen Kaffee trinken gehen?« schlug sie um einiges munterer vor, als ihr tatsächlich zumute war. »Um deine Rückkehr ins wirkliche Leben gebührend zu zelebrieren?« Sie hatte ihr Handy mitgenommen und hoffte, daß Carlo wenigstens so schlau war, sich von unterwegs aus mit ihr in Verbindung zu setzen.

»Keine Lust. Zum Feiern ist mir wirklich nicht zumute.«

Hanne hatte die neue Brustprothese angelegt, heute zum erstenmal. Sie saß perfekt. Nicht einmal unter dem dünnen seidenen T-Shirt war etwas davon zu ahnen.

»Auch gut. Und was dann? Gleich nach Hause, und erst mal ausruhen?«

»Wovon denn? Ich bin doch seit Ewigkeiten sinnlos hier herumgelegen! Nein, Sina, ich möchte in die Kanzlei. Und zwar sofort. Mach nicht so ein Gesicht, es nützt nichts! Und keiner – nicht einmal du – kann mich davon abbringen.«

Sina behielt zunächst für sich, was sie darüber dachte, und beugte sich scheinbar kommentarlos Hannes Entscheidung. Als sie jedoch alle Habseligkeiten im Auto untergebracht hatte und angeschnallt neben der Freundin saß, beugte sie sich noch einmal besorgt zu ihr hinüber.

»Du bist ganz sicher?«

»Bin ich. Hast nicht *du* gesagt, ich soll mich stellen und kämpfen? Genau das tue ich jetzt.« Befriedigt lehnte sie sich zurück.

»Aber doch nicht am allerersten Tag nach fast zwei Wochen Klinikaufenthalt!«

»Und wieso nicht? Heute ist der erste Tag vom Rest meines Lebens, Sina. Ich habe keine Zeit zu verlieren.«

Sina fuhr los.

Hanne sperrte Mund und Augen auf, als sie das Außengerüst entdeckte, sagte aber kein Wort. Beim Betreten des Flurs jedoch entfuhr ihr ein begeisterter Seufzer.

»*Wow* – wie elegant! Was ist denn hier passiert?« Dann jedoch entdeckte ihr Argusblick erste Nachlässigkeiten. »Aber diese Leisten hier, total krumm und schief! Welcher Spezialist hat sich denn daran versucht?«

»Frau Bromberger!«

Tilly Malorny, Marina König und Anke Frey stürzten sich gleichzeitig auf sie. Noch schneller jedoch war Jacky, der mit seinen kurzen Beinchen losspurtete und wild wedelnd an ihr hochsprang.

»Mein Putzelchen! Du hast mir natürlich am allermeisten gefehlt.« Sie drückte ihn so fest an sich, daß er nach ihr zu schnappen begann. Lachend ließ sie ihn fallen und rieb sich die schmerzende Hand, was er mit einem empörten Kläffen quittierte. »Jetzt beginne ich mich langsam wieder wirklich zu Hause zu fühlen. Nicht einmal das hat sich geändert.«

Sie richtete sich auf, strich ihr T-Shirt glatt.

»Und jetzt muß ich wahrscheinlich auch noch so etwas wie eine Ansprache halten, das habe ich nun davon«, sagte sie rauh. »Also gut, ich bin wohl eine ziemliche Idiotin gewesen. Aber damit ist es jetzt vorbei. Ich war nicht in Wien, liebe Mitarbeiterinnen, sondern hier, in einer Klinik. Ich habe Krebs. Ja, ich kann gut verstehen, daß Sie jetzt reichlich betreten dreinschauen, mir geht es nämlich kein bißchen anders. Es dauert, bis man sich an das Wort gewöhnt. Das weiß ich inzwischen.«

Sie schluckte. Jede der Frauen spürte, wie schwer ihr die demonstrative Lässigkeit fiel.

»Falls man das überhaupt jemals richtig schafft. Könnte übrigens sein, daß ich künftig ab und an noch ein bißchen ungenießbarer bin als bisher. Dann dürfen Sie mich jederzeit darauf aufmerksam machen. Ich habe mir nämlich vorgenommen, gesund zu werden. Und es wäre schön, wenn Sie mich dabei unterstützen würden.«

Hanne lächelte, ein wenig unsicher. »So, und jetzt bin ich mit meinem Sermon beinahe zu Ende. Ich wollte eigentlich nur noch sagen, daß ich mich bei Tilly ganz herzlich dafür bedanken möchte, wie lieb sie zu Jacky ...«

Es klingelte. Anke betätigte den Drücker.

»Bill!« rief Hanne fassungslos, als sie die kräftige Gestalt ihres Lebensgefährten im Flur erblickte. »Aber was machst du denn hier?«

»Auf dich aufpassen, Hanne.« Er lachte breit. Aber seine Augen blieben ernst. »Damit du keinen Unsinn anstellst. Und nach allem, was seit meiner Abreise passiert ist, scheint mir das auch dringend nötig.«

Sie verschwand in seiner Umarmung. Sina sah, daß sie

weinte. Am liebsten hätte sie gleich mitgeheult. Sie wußte, das Schwierigste stand noch bevor.

»Na, endlich!« flüsterte sie Carlo zu, der sich an den beiden vorbeigezwängt hatte. »Wo habt ihr denn die ganze Zeit gesteckt? Ich hatte langsam schon Angst, daß ihr einen Unfall gehabt habt. Oder verhaftet worden seid. Wieso hast du denn nicht angerufen?«

»So ähnlich war es auch«, erwiderte er leise. Sein Haar war zerzaust, er wirkte fiebrig wie nach einem Kampf. »Du liegst nur ganz unwesentlich daneben. Zollvergehen. Und Beamtenbeleidigung. ›Deutsche Faschisten‹, so hat er sie genannt. Und das Resultat? Geschlagene zwei Stunden haben sie uns auf dem Zollamt am Flughafen festgehalten. Weshalb das alles? Ganz einfach! Weil Mr. Bergis nämlich die Imitation eines Hosenanzugs von Donna Karan im Gepäck hatte, den er durch den Zoll schmuggeln wollte. Aber das wird teuer, Sina, das wird sogar sehr teuer. Da hätte er beinahe schon das Original kaufen können. Mit einem Tausender, haben die Zollbeamten gesagt, kann er locker rechnen.«

Carlo schnaufte aufgebracht. »Von wegen also Bill und geläutert! Wer das behauptet hat, muß unverbesserlich optimistisch sein – oder ein bißchen beschränkt. Ein Gepard verliert seine Flecken nie, schon vergessen? Kannst von Glück sagen, daß wir überhaupt hier sind. Außerdem werde ich langsam alt. Wie soll ich mir da im größten Streß noch komplizierte Handynummern merken?«

Das Telefon klingelte. Jacky begann wie wild zu bellen. Alle redeten durcheinander.

Anke war die einzige, die einen kühlen Kopf bewahrte und abhob. Sie kniff die Augen zusammen, setzte eine strenge Miene auf und verschaffte sich durch wildes Handwedeln Gehör.

»Für dich, Sina. Das Oskar-Maria-Graf-Domizil. Mit Henny Waldheim scheint es zu Ende zu gehen.«

»Jetzt bist du dran, Leander Fürst!« murmelte Sina, als sie ihre Handtasche packte und sich sofort auf den Weg zum Auto machte.

Zweiundzwanzig

Henny Waldheim schien eingeschlafen zu sein, als Sina an ihr Bett trat. Aber die dünnen Lider zuckten, und der eingefallene Mund bewegte sich unruhig. Eine junge, dunkelhäutige Pflegerin und Maria Schnell waren anwesend.

»Sie ist sehr schwach«, sagte die Heimleiterin. »In den letzten beiden Stunden hat sie kaum etwas gesagt.«

»Dieser Idiot!« sagte Sina bitter. »Hat ihm wohl noch nicht gereicht, seine Mutter gründlich unglücklich zu machen.«

Auf merkwürdige Art fühlte sie sich zu dieser alten Frau hingezogen, die leise vor sich hin röchelte.

Plötzlich schlug sie die Augen auf.

»Sie sind ja da«, sagte sie, auf einmal wieder ganz klar. »Wie schön.« Vergeblich versuchte sie, den Kopf zu wenden. »Aber ich möchte … ich will, daß wir ungestört …«

»Könnten Sie uns vielleicht eine Weile alleinlassen?« bat Sina. Die junge Pflegerin blieb unschlüssig stehen, während Maria Schnell schon zu nicken begann. »Bitte! Es scheint sehr wichtig zu sein.«

»Aber Sie rufen uns, wenn sie sich schlechter fühlt. Oder wenn sie etwas braucht.«

»Natürlich«, versprach Sina. »Sofort.«

Als sich die Tür hinter den beiden geschlossen hatte, war es still im Zimmer. Eine Wanduhr tickte. Der goldgerahmte Spiegel war unverhüllt, nicht mehr von Schleiern verborgen. Sina fiel auf, daß die Fotografien auf dem kleinen Regal umgruppiert worden waren. Neben dem Bett, im Sil-

berrahmen, stand jetzt ein hübscher, lachender Junge mit
dichtem dunklen Haar, fünfzehn oder sechzehn, wie sie
schätzte. Daneben das Bildnis einer eleganten Dame in
großer Abendrobe, die am Oberarm einen geschwungenen Schlangenreif trug. Hinter ihr ein Männerporträt in
Wehrmachtsuniform, ein ernster, fast finster dreinblicken-
der Soldat mit verlorenem Blick. Links von ihm ein Dandy
in hellem Leinen, der den Fuß besitzergreifend auf das
Trittbrett eines schnittigen Cabrios gesetzt hatte und
selbstbewußt in die Kamera lachte.

»Meine Familie«, sagte Henny Waldheim leise. »Alle tot.
Lange schon. Wenn ich damals nicht ...«

Sie biß sich heftig auf die blassen Lippen.

»Wenn Sie vielleicht darüber reden wollen, Frau Waldheim?«

»Vielleicht ein andermal. Obwohl, Sie müßten ja eigentlich alles wissen, um zu verstehen, was geschehen ist. Aber
das ist eine verwickelte Geschichte. Und eine traurige
dazu.«

»Ich habe Zeit«, sagte Sina sanft. »Und eine große Schwäche für traurige, verwickelte Geschichten. Fangen Sie einfach irgendwo an!«

»Aber ich habe keine Zeit mehr. Jedenfalls nicht mehr sehr
viel.« Henny Waldheim versuchte, eine bequemere Stel-
lung zu finden. »Ich bin ihm nicht einmal böse, diesem
jungen Fürst«, sagte sie. »Ich bin so müde, verstehen Sie?
So unendlich müde. Keine Kraft mehr. Und mein Bein tut
weh. Ich möchte nur noch schlafen. Endlich für immer
schlafen.« Dann wurde sie so leise, daß Sina sich näher
über sie beugen mußte, um überhaupt noch etwas zu verstehen. »Aber da ist noch etwas ... etwas, was Sie wissen sollen ...«

»Was, Frau Waldheim?«

»Rita. Nennen Sie mich Rita! So hieß ich, als ich noch ein Kind war …«

Sie faßte sich an die Brust, mit schmerzverzerrtem Gesicht, als säße dort ein schwerer Alp, der sie drückte.

»Ottfried Fürst. Und sein Tod.«

»Was ist mit ihm? Was wollen Sie mir erzählen?«

»Die Todesfee … Ich hab sie ihm geschickt. Eine schwarze Giftwitwe, die nicht genug bekommen konnte. Sie hatte schon einen auf dem Gewissen, vielleicht auch zwei. Oder mehr. Ich habe mir gewünscht, daß sie auch Fürst erledigen würde.

»Und sie hat ihn erledigt?«

»Ja, das hat sie.«

»Aber weshalb? Was hat er Ihnen getan?«

»Mir meine Rache gestohlen. Das einzige, was mir noch geblieben war, nachdem ich alles verspielt hatte. Er hat mich um sie gebracht, verstehen Sie – um alles. Mit leeren Händen stand ich da, vollkommen nackt und schutzlos. Alles so lange her, ein ganzes Leben, aber so lebendig! Ich hatte schon beinahe angefangen, ihn doch noch zu vergessen. Die Vergangenheit kann einem doch nur so lange weh tun, solange man sie nicht ruhen läßt, oder?«

»Sie meinen die Gabe der Erinnerung? Kluge Köpfe nennen sie Segen und Fluch zugleich.«

Die Liegende schien sie gar nicht zu hören.

»Aber dann ist er hier eingezogen. Mit seiner kranken Frau, die er feige hintergangen hat, wie er alle immer hintergangen hat. Als ob er nicht hätte warten können, bis sie tot war! Ich hab ihn gleich erkannt, obwohl er so alt geworden war. Er war noch genauso wie früher: impertinent, hinterlistig, geil. Kein guter Mensch. Obwohl er schön singen konnte. Jemand, der immer nur an sich selbst gedacht hat.«

»Und was ist dann passiert?«

»Anfangs war es nur eine Idee ... ein Hirngespinst. Schließlich aber beschloß ich, es Wirklichkeit werden zu lassen. Was hatte ich noch zu verlieren? Wo ich doch schon vor langer Zeit alles verloren hatte.«

Sie deutete auf die Tasse, die am Rand des Nachttischs stand. Sina reichte sie ihr. Schwerfällig setzte sie sich ein Stückchen auf, trank langsam und verzog dabei angeekelt den Mund.

»Bitter wie der Tod«, sagte sie. »Dabei kann das Leben noch viel bitterer sein.«

»Soll ich Ihnen die Tasse nicht lieber abnehmen?« fragte Sina. »Damit Sie es bequemer haben?«

Sie schüttelte den Kopf. Hielt den Henkel eigensinnig weiter umklammert.

»Ich verstehe die Geschichte noch immer nicht«, sagte Sina. »Eine Frau wie Sie, die alles gehabt hat: Ruhm, Liebe, Erfolg. Und die soviel weiß!«

»Macht uns nicht jede große Leidenschaft zu Tieren? Und verletzen wir dann nicht ganz leicht die Gesetze der Zivilisation?« Es klang, als redete sie mit sich selbst.

»Aber das muß doch nicht so sein«, sagte Sina. »Wieso diese Rache, Rita? Wieso noch immer, nach so langer Zeit?«

»Weil ich nie aufhören konnte, daran zu denken. Nicht einen einzigen Tag meines Lebens, egal, was immer ich tat. Und plötzlich war alles so einfach. Wie dumm Männer doch sein können! Ich hab Helene Stein durch Zufall kennengelernt. Bei einer Beerdigung. Anschließend tranken wir ein paar Gläschen Sekt, und sie fing zu prahlen an. Ich bin eine gute Zuhörerin, müssen Sie wissen. Deshalb haben mich viele Männer geliebt. Weil sie glaubten, ich würde sie interessant finden. Dabei gab es doch nur einen, der wirklich interessant war. Ein einziger: Jean. Und der hat mich niemals wirklich geliebt.«

Sie schluckte, befeuchtete ihre Lippen. Jetzt sprach sie schnell, wie unter Zwang.

»Später habe ich sie auf Fürst regelrecht angesetzt. Sie war genau sein Typ: mollig, derb, gierig. Natürlich hatte ich sie wissen lassen, daß er einiges auf der hohen Kante hatte. Berühmter Sänger mit Vermögen. Witwer. Daß es aber leider einen Sohn und Erben gab, vom Vater gehaßt, der nach seinem Tod unangenehme Ansprüche stellen könnte. Es sei denn, sie würde Fürst dazu bringen, sie schon vorab großzügig zu beschenken. Nun, da hat sie sich offenbar entschlossen, diesmal nicht erst lange abzuwarten, sondern rechtzeitig zu handeln. Mit ihren ganz eigenen Mitteln ...«

Sie verstummte. Trank erneut. Und schüttelte sich. »Wie hat sie ihn eigentlich genau umgebracht?«

»Mit Viagra«, sagte Sina, »einem neuartigen Potenzmittel, von dem jetzt alle Welt spricht. Sie muß es ihm heimlich verabreicht und anschließend alle Spuren verwischt haben. Ich kann mir nicht vorstellen, daß er es freiwillig eingenommen hat. Ottfried Fürst wußte, daß es sehr gefährlich für ihn war.«

»Der Feigling? Niemals! Nein, der liebe kleine Friedl hat schon damals genau gewußt, was gut für ihn war und was nicht. Mein Vater hat ihm viel Geld gegeben, wußten Sie das? Mit dem hat er seine Ausbildung finanziert. Nachdem Papa mich enterbt hatte! Dabei hätte ich doch ohnehin niemals eine Mark von ihm genommen, nicht, nachdem er damals Jean ...«

Ihre Sprache war undeutlicher geworden. Sina hatte Mühe, sie zu verstehen.

»Das blaue Heft«, sagte sie schließlich lallend. »Sie wollten es doch haben. Dort, auf dem Tisch. Mein Tagebuch ...

nein, mein Vermächtnis.« Sie versuchte die Karikatur eines Lächelns. »Lesen Sie! Dann verstehen Sie vielleicht. Papa, Maman, Riri, Jean, Amelie …« Ihre Augen wurden weit und starr. »Ja, Amelie … Sie sind ihr so ähnlich. Das Haar, die Augen, beinahe wie eine Schwester …«

Die Tasse war ihr aus der Hand gerutscht. Eine weiße, milchige Flüssigkeit ergoß sich auf die Bettdecke.

»Rita!« Sina begriff plötzlich. »Was war in der Tasse? Was haben Sie getrunken?«

»Schlafen«, murmelte sie. »Endlich, endlich schlafen …«

Speichel rann aus ihrem Mund. Ihre Brust hob und senkte sich krampfartig ein letztes Mal. Dann fiel ihr Kopf zur Seite.

Sie hatte zu atmen aufgehört.

Sina sprang auf, lief hinaus in den Flur, um die Pflegerin und Maria Schnell zu holen. Wally und Krumm, die nebeneinander rauchend auf einer der Bänke gesessen hatten, sahen sie aufgeschreckt an.

»Was ist los?« fragte Wally. »Sie sehen ja so blaß aus. Ist etwas passiert?«

»Kann ich bitte eine Zigarette haben?« Ihre Hand zitterte. Eugen Krumm gab ihr Feuer. »Henny Waldheim ist doch nicht etwa …«

»Doch«, sagte Sina und merkte erst jetzt, daß sie weinte. »Rita ist tot.«

Dreiundzwanzig

Zum erstenmal hörte ich ihn singen, als sie Jeans Sarg langsam nach unten ließen. Es war die zweite Beerdigung in nicht einmal vierundzwanzig Stunden. Über mir hing eine schwere, graue Wolke, die mich nie wieder verlassen sollte – bis heute nicht, während ich diese Zeilen niederschreibe.

Ich war nur noch scheinbar am Leben. In Wirklichkeit war ich längst tot. Lag neben Jean in seinem Eichensarg.

Es war nur eine kleine Trauergemeinde. Die Leute vom Birkenhof, ein paar aus dem Dorf und das, was von unserer Familie übriggeblieben war: Maman, die damals schon den leeren, verwirrten Blick hatte, den sie niemals wieder verlor; Papa, der sich steif aufrecht hielt, aber keinen wirklich wahrzunehmen schien; Amelie, ganz in Schwarz, plötzlich wie erloschen.

Und ich.

Zu meiner Überraschung war es alles andere als eine unreife Bubenstimme. Er sang eine Arie aus dem Rosenkavalier, auf der Papa bestanden hatte, kraftvoll, mutig, mit Verve und Hingabe, als sei es kein Abschied, sondern ein Liebeslied:

»Wie die Stund' hingeht, wie der Wind verweht,
So sind wir bald beide dahin.
Menschen sin' ma halt,
Richtn's nicht mit G'walt.
Weint uns niemand nach,
Net dir, und net mir.«

Interessant und aufschlußreich zugleich, ihm dabei zuzusehen.
Sein verändertes Aussehen nahm ich sogar in meiner Agonie
wahr. Aus Friedl war Ottfried geworden, aus dem untersetzten
Buben ein Jüngling, selbstbewußt, voller Stolz über sein Kön-
nen.
Ein warmer Mittag mit sanftem Wind, strahlend, wie es nur die
Tage sein können, die schon vom Ende des Sommers künden.
Nichts mehr war wie zuvor. Mein Geliebter war tot. Und ich
würde noch vor Einbruch der Dunkelheit mein Zuhause verlas-
sen, niemals wieder zurückkehren. Aber noch einmal meinte ich,
den Duft an Jeans Kragen zu riechen, noch einmal glaubte ich,
seine warme Stimme zu hören.
»Mein Mädchen – Rita!«
Friedl suchte meinen Blick, als er die letzten Töne sang, und
plötzlich trafen sich unsere Augen wie feindliche Klingen.
Ich werde es dir heimzahlen, flüsterten meine Lippen, ohne sich
zu bewegen. Eines Tages büßt du mir dafür. Dein Leben für
mein Leben. Das schwöre ich dir!
Er schaute zu Boden, konnte meinem Blick nicht länger stand-
halten.
Aber ich verspürte keinerlei Triumph.
Langsam ging ich zurück ins Haus, packte die wenigen Sachen
zusammen, die ich mitnehmen wollte. Einen Moment zögerte
ich. Und wenn ich doch noch einmal in die Bibliothek ging, in
der Papa sich nun tagelang aufhielt?
Ich hatte nicht den Mut dazu.
Ich ließ mich von Bobo zum Bahnhof bringen, ohne mich von
Maman, Papa oder Amelie zu verabschieden. Wie eine Aussät-
zige, die keiner mehr berühren sollte.
Nicht einmal Bobo gab mir noch die Hand. Schnell stieg ich ein.
Ich schaute nicht zurück, als der Zug schnaubend die Station
verließ.

◆

Bis heute weiß ich nicht, was damals in der Bootshütte wirklich geschehen ist.

Was Papa sagte oder fragte.

Was Jean antwortete.

Ob Riri bei ihm war wie all die vielen Male zuvor.

Oder ob er erst dazukam, als Jean bereits tot war.

Ob Papa schoß, kaum, daß er die Hütte betreten hatte.

Ob die Handschuhe, die er getragen hatte, nichts als ein dummer Zufall waren.

Ob Jean erst später den Flintenlauf an seine Schläfe hielt und selber abdrückte.

Ob er Riri bat, es für ihn zu tun, um ihm den Todeskuß zu schenken.

Ich weiß nur, daß Riri in den Hof gerannt kam, mit offenem Hemd, schweißüberströmt. Daß er Jeans silbernen Schlüssel schwenkte, zum Cabrio lief, das niemals abgeschlossen wurde, es anließ und wie ein Wahnsinniger durch das Tor raste.

Minuten später der betäubende Krach. Dann die Explosion.

Es war Sommerende, das Wasser knapp, die freiwillige Feuerwehr geschlossen beim Ernteeinsatz. Der Wagen brannte vollständig aus, nachdem er gegen eine der Birken gerast war, die unserem Hof seinen Namen gegeben hatten. Riris Leichnam verkohlte mit all dem Leder, all dem Blech, all dem Chrom.

Unseren siebzehnten Geburtstag, den ich in einem Berliner Bordell mit Kaviar und Champagner feierte, hat Richard Bonhoff niemals erlebt.

Es blieb nur ein klägliches Restchen Asche, das sie in eine Urne füllten und einen Tag vor Jean in aller Stille im Familiengrab beisetzten.

✦

Maman kam nie darüber hinweg. Sie behielt ihr Lächeln, ihr freundliches Wesen. Manche sagten sogar, daß sie schöner geworden sei, als je zuvor, aber das war nicht die ganze Wahrheit. Ihr Geist hatte sich verschlossen, zurückgezogen in ferne Gefilde, zu denen sie keinem mehr den Zugang erlaubte.

Später lebte sie in einem Heim. Die Familie Dubois, ihre Brüder und Cousins, bemühten sich vergeblich um ihre Verlegung nach Frankreich. Sie blieb, wo sie war.

Irgendwann kam ein amtliches Schreiben. Sie sei im Schlaf gestorben, ganz friedlich. Eine der dreistesten Lügen, die ich jemals gehört habe.

✦

Papa hielt es nicht mehr lange auf dem Birkenhof aus. Der Jurist und Gutsherr wider Willen wandte sich erneut dem Militär zu. Bei Ausbruch des Zweiten Weltkriegs meldete er sich trotz seines Alters für die Front. Er überstand den Frankreichfeldzug, wurde zweimal verwundet und mehrfach befördert. In Rußland, 1943, verliert sich seine Spur. Er kam niemals aus dem Ural zurück.

✦

Amelie ging nach Afrika, zuerst nach Kenia, später nach Rhodesien. Sie hatte beschlossen, als Krankenschwester in einer Buschstation zu arbeiten, und das war es wohl, was ihrem Wesen seit jeher am ehesten entsprochen hatte: eine Frau zu sein, die es liebt, Opfer zu bringen.

✦

Und ich?

Ich ging nach Berlin, später folgten Paris, dann New York. Und wieder Berlin. Meinen Namen hatte ich längst abgelegt beziehungsweise einen neuen angenommen, der mich frei machte *und zugleich immer an das erinnerte, was einmal geschehen war ...«*

Es klingelte.

»Genau«, sagte Sina und legte unwillig das blaue Wachsheft zur Seite. Mindestens ebenso unwillig sprang Taifun von ihrem Schoß, als sie aufstand und öffnete. »Das ist es!«

»Was ist es, meine Schöne?« Carlo van Rees mit einem seiner gefürchteten Spontanbesuche.

Sie schielte nach dem prallgefüllten Picknickkorb und der Weinflasche, die er sich unter den Arm geklemmt hatte.

»Das Original«, sagte er lachend. »Ich dachte mir, heute ist genau der richtige Tag dafür.« Natürlich registrierte er sofort, womit sie beschäftigt gewesen war. »Ach, noch immer bei deiner spannenden Lektüre?«

Sina küßte ihn auf beide Wangen, trat einen Schritt zurück und nickte.

»Du störst«, sagte sie. »Es war gerade so aufregend. Jetzt weiß ich, wie sie es gemacht hat. Eigentlich ganz einfach.«

»Ich störe ausgesprochen gern, weißt du doch. Und wie hat sie es gemacht?«

»Aus Rita Bonhoff wurde Henny Waldheim, verstehst du?«

»Keine Silbe. Darf ich mich wenigstens einen Moment setzen? Ich hab vorhin schon mal kurz bei Hanne und Bill reingeschaut. Aber diese Turteltäubchen brauchen wirklich keinen Dritten. Sensibel, wie ich nun mal bin, hab ich das natürlich sofort kapiert.«

»Setz dich, du alte Nervensäge! Ihre Mutter war doch eine geborene Dubois. Und das hat sie schlicht und einfach eingedeutscht: Waldheim. Na, hat es endlich geklickt? Und aus Rita, der Kurzform von Henriette, hat sie Henny gemacht.«

Carlo hatte inzwischen die Flasche entkorkt. »Jetzt müßten

wir eigentlich noch ein paar Stunden warten«, sagte er bedauernd.

»Und wenn nicht?«

»Dann trinken wir ihn eben so. Eine Sünde, selbstverständlich. Aber was schadet schon eine Sünde mehr oder weniger?«

Dunkles, samtiges Rot füllte die Gläser. Sie stießen an.

»*Santé* – auf Luigi!« sagte Sina.

»Auf die Liebe!«

»Haben sie Leander Fürst schon geschnappt?«

Sina nickte. »In Verona. Beim Versuch, sich einen weniger heißen Paß zu kaufen. Er ist wegen schwerer Körperverletzung fällig, möglicherweise sogar wegen Körperverletzung mit Todesfolge. Da ändert Ritas Freitod nichts daran. Man hat bei ihrer Obduktion einen zweifachen Oberschenkelhalsbruch festgestellt. Sie wäre also mit großer Wahrscheinlichkeit für immer behindert gewesen. Womöglich wäre sie an den Folgen sogar gestorben. Ich hoffe, daß er ausreichend Zeit bekommt, um gründlich über alles nachzudenken.«

»Und die Akte Helene Stein?« wollte Carlo wissen, während er sich genießerisch zurücklehnte. »Denn wenn Henny Waldheim sie auch angestiftet hat, die Täterin ist sie.«

»Wird von Tag zu Tag dicker«, erwiderte Sina. »Sie haben Fürsts Uhr bei ihr gefunden sowie eine erkleckliche Menge Bares, für dessen Herkunft sie keine plausible Erklärung zu bieten hat. Es scheint aber auch ein Brief zu existieren, in dem Fürst seine Schenkung schriftlich niedergelegt hat, vielleicht, nachdem ihm nachträglich doch Bedenken gekommen sind. Außerdem hat sich ein Neffe von Leo Bärmoser gemeldet, der interessante Neuigkeiten über den Krankheitsverlauf seines Onkels beizusteuern hat. Sieht aus, als hätte sie den alten Bärmoser mit Antidepressiva und blutdrucksenkenden Mitteln gefüttert, damit es schneller ging. Leider wurde er ebenfalls verbrannt und kann deshalb nicht mehr exhumiert werden.« Sie legte eine Pause ein. »Im Gegensatz zu seinem Vorgänger.«

Carlo hätte sich beinahe verschluckt. »Den gibt es auch noch?«

Sina nickte. »Ein gewisser Thilo Fuchs. Hauptkommissar Bierls graue Zellen klingeln inzwischen wie Weihnachtsglocken, wenn nur der Name Stein fällt. Fuchs wird noch diese Woche exhumiert. Würde mich nicht wundern, wenn die Liste sogar noch länger würde. Ich hoffe sehr, daß bald eine Anklage zustande kommt. Es gibt ja schließlich auch noch die letzten Worte Henriette Bonhoffs, die ich bezeugen kann. Besser wäre natürlich, Helene Stein würde ein Geständnis ablegen.«

»Darauf würde ich aber nicht wetten. Die Dame scheint nicht die schlechtesten Nerven zu haben – ähnlich wie Lucrezia Borgia.«

»Wie kommst du denn jetzt ausgerechnet auf die?« fragte Sina verwundert. »Die Borgia scheint nämlich so etwas wie ihr Vorbild gewesen zu sein. Oder ihr Markenzeichen. Jedenfalls hat die Polizei stapelweise Kunstpostkarten mit Cranachs kühner Dame in ihrem Bungalow entdeckt. Man könnte beinahe auf die Idee verfallen, Helene Stein habe einen Feldzug gegen das männliche Geschlecht per se geplant. Zumindest gegen alle, die über siebzig sind.«

Sie holte ein Foto.

»Das ist sie übrigens.«

Eine guterhaltene Frau Anfang Sechzig mit vollem, gepflegtem Haar, kurzer Nase und schmalen, energischen Lippen.

»Schwarz steht ihr vermutlich am besten«, sagte Carlo.

»Weshalb?«

»Nun, sie tötet das Männchen nach der Paarung. ›Keine Nacht dir zu lang‹, was?« Er grinste anzüglich. »›Mit mir, mit mir, mit mir‹?«

Dann schaute er seinen Korb an.

»Sag mal, Sina, wollen wir nicht endlich eine Kleinigkeit zu uns nehmen? Oder weshalb habe ich mich sonst so abgeschleppt?«

Erneutes Klingeln, bevor sie antworten konnte. Diesmal ging Sina zuerst ans Fenster und schaute hinunter.

»Ich glaube, unten steht Laszlos Wagen«, sagte sie, als sie sich umwandte. Wenn sie blaß wurde wie jetzt, sah man die winzigen Sommersprossen auf Nase und Lippen deutlicher. »Aber das kann eigentlich gar nicht sein.«

Jetzt drehte sich ein Schlüssel im Schloß. Die Tür sprang auf.

Laszlo trug seinen schwarzen Rucksack und hatte die Tasche mit dem Laptop umgehängt.

»Ich hatte plötzlich keine Lust mehr zu warten«, sagte er. »Berlin kann so staubig sein im Sommer. Und meine Fiona-Geschichte kann ich ja schließlich auch bei dir fertig schreiben, oder?«

»Kannst du. Aber deine Kanzlei?«

»Darum kümmert sich jetzt erst einmal meine neue tüchtige Kollegin. Die hat Biß, sag ich dir – diese jungen Frauen können ja so ehrgeizig sein! Die Mandanten werden bald nur noch mit ihr arbeiten wollen.«

Er stellte sein Gepäck ab.

»Weißt du, mein Herz, ich hab jetzt erst mal nur das Wichtigste raufgebracht. Der ganze Rest ist noch unten im Auto. Eilt ja nicht, jetzt, wo ich länger bleibe. Wenn du Pech hast, vielleicht sogar für immer.«

Carlo interessierte sich plötzlich angelegentlich für die

Struktur des Teppichs, während Taifun beleidigt zur offenen Balkontür schlich und hinaus auf die Terrasse stolzierte.

»Für immer«, sagte Sina. Sie bemühte sich, ganz vorsichtig zu atmen. Vielleicht würde dann der Kloß in der Kehle wieder verschwinden, der ihr auf einmal zu schaffen machte. »Warum eigentlich nicht? Und einen tollen Titel für dein Vorhaben wüßte ich auch schon.«

»Und der wäre?« riefen Carlo und Laszlo wie aus einem Munde.

Der Kloß schwoll an. Sie gab sich alle erdenkliche Mühe, nicht in Panik zu verfallen, obwohl sich ihre Handflächen schon ganz feucht anfühlten. Wenn es so weiterging, würde sie binnen weniger Minuten womöglich gar keine Luft mehr bekommen.

Dann fiel ihr ein, was Henny Waldheim über das Loslassen gepredigt hatte. Sie schluckte. Versuchte, sich zu entspannen. Der Druck ließ nach. Sie bekam besser Luft. Und brachte im letzten Augenblick sogar ein Lächeln zustande.

»›Liebeslang‹«, sagte sie. »Was hältst du davon?«

Ein großes Dankeschön an meinen juristischen Berater Reinhard Riedl, der nicht nur durch profunde Sachkenntnis besticht, sondern auch durch zahlreiche kreative Einfälle maßgeblich zum Gelingen beigetragen hat.

An meinen Freund Dr. Wolf Dieter Wiest für die Überlassung des Rituals.

An die Ärzte Dr. Ludwig Mayer und Dr. Fritz Gerrit Kropp, die ich immer wieder zu schwierigen medizinischen Problemen befragen durfte.

An meinen Freund Günthel Schüttel für seine chinesische Weisheit.

An Matthias Stecher für Luigi & Konsorten.

Und an Dr. Constanze Seijo, meine liebste und kritischste Erstleserin.